Universale Economica Feltrinelli

STEFANO BENNI
IL BAR SOTTO IL MARE

Feltrinelli

© Giangiacomo Feltrinelli Editore Milano
Prima edizione ne "I Narratori" ottobre 1987
Prima edizione nell'"Universale Economica" giugno 1989
Ventunesima edizione luglio 1996

ISBN 88-07-81077-8

1. Il primo uomo col cappello; 2. Il secondo uomo col cappello; 3. Il terzo uomo col cappello; 4. Il barista; 5. La bionda; 6. Il venditore di tappeti; 7. Il marinaio; 8. L'uomo invisibile; 9. L'uomo con la cicatrice; 10. Il ragazzo col ciuffo; 11. La ragazza col ciuffo; 12. La signorina col cappello; 13. Il nano; 14. Il cuoco; 15. L'uomo con gli occhiali neri; 16. La bambina; 17. Il vecchio con la gardenia; 18. Il bambino serio; 19. L'uomo col mantello; 20. La vecchietta; 21. La sirena; 22. Il cane nero; 23. La pulce del cane nero.

PROLOGO

Non so se mi crederete. Passiamo metà della vita a deridere ciò in cui altri credono, e l'altra metà a credere in ciò che altri deridono.

Camminavo una notte in riva al mare di Brigantes, dove le case sembrano navi affondate, immerse nella nebbia e nei vapori marini, e il vento dà ai rami degli oleandri lente movenze di alga.

Non so dire se cercassi qualcosa, o se fossi inseguito: ricordo che erano tempi difficili ma io ero, per qualche strana ragione, felice.

Improvvisamente dal sipario del buio uscì un vecchio elegante, vestito di nero, con una gardenia all'occhiello, e passandomi vicino si inchinò leggermente. Mi misi a seguirlo incuriosito. Andavo di buon passo ma faticavo a stargli dietro, perché sembrava che procedesse volando a un palmo da terra, e i suoi piedi non facevano rumore sul legno umido del molo.

Il vecchio si fermò un attimo, tracciando in aria gesti con cui sembrava calcolare la posizione delle stelle. Poi annuì con la testa e prese a discendere una scaletta che dal molo calava nelle acque scure.

– Si fermi signore – gridai – non lo faccia!

Ma il vecchio non mi ascoltò, in breve tempo fu nell'acqua fino alla cintola, e poco dopo scomparve.

Senza indugiare, vestito com'ero, mi tuffai. L'acqua era gelida, e sul fondale melmoso giacevano detriti e cordami. Mi guardai intorno cercando tracce dell'uomo e con mia grande meraviglia vidi, sospesa a pochi metri dal fondo, un'insegna luminosa con la scritta "Bar". Verso di essa si dirigeva tranquillamente, camminando come un palombaro, il vecchio della gardenia. Come in un sogno nuotai anch'io verso quell'insegna che illuminava l'acqua di azzurro.

Arrivai così a una costruzione intarsiata di nautili, con una porta di legno. La porta si aprì subito e il signore con la gardenia mi tese la mano. Non fece altro che tirarmi dentro di colpo e mi ritrovai in un bar accogliente, luminoso e pieno di avventori. Era arredato con mobili di stile diverso, alcuni di antico gusto marinaro, altri esotici, altri decisamente moderni. Il bancone sembrava la fiancata di una nave, tanto era lucido e imponente. Sopra lo schieramento delle bottiglie c'era un grande oblò di vetro da cui si potevano ammirare candelabri di corallo e branchi di pesci. Gli avventori bevevano e chiacchieravano come in qualsiasi bar di terraferma. Come potete constatare dal disegno di copertina, formavano il gruppo più stravagante che io avessi mai visto.

Il barista mi fece segno di avvicinarmi. Aveva un'espressione ironica e il suo volto ricordava quello di un famoso interprete di film dell'orrore. Mi offrì un bicchiere di vino e mi appuntò una gardenia all'occhiello.

– Siamo lieti di averla tra noi – disse sottovoce. – La prego di accomodarsi, perché questa è la notte in cui ognuno dei presenti racconterà una storia.

Mi sedetti, e ascoltai i racconti del bar sotto il mare.

L'ANNO DEL TEMPO MATTO

> Ma la terra
> con cui hai diviso il freddo
> mai più
> potrai fare a meno di amarla
> (VLADIMIR MAJAKOVSKIJ)

La storia che vi racconterò è una storia del mio paese che si chiama Sompazzo ed è famoso per due specialità: le barbabietole e i bugiardi.

Il vecchio del paese, Nonno Celso, profetizzò che quell'anno il tempo sarebbe stato balordo. Disse che lo si poteva capire da tre segni:

le folaghe che ogni anno passavano sopra il paese, erano passate ma in treno. Il capostazione ne aveva visti due vagoni pieni;

le ciliegie erano in ritardo: quelle che c'erano sugli alberi erano dell'anno prima;

le ossa dei vecchi non facevano male. In compenso tutti i bambini avevano la gotta e le bambine i reumatismi.

Nonno Celso disse che ne avremmo viste di belle.

Bene, a febbraio era già primavera. Tutte le margherite spuntarono in una sola mattina. Si sentì un rumore come se si aprisse un gigantesco ombrello, ed eccole tutte al loro posto.

Dagli alberi cominciò a cadere il polline a mucchi. Tutto il paese starnutiva, e arrivò un'epidemia di allergie stranissime: ad alcuni si gonfiava il naso, ad altri spuntava una mani-

11

glia. La frutta maturava di colpo: ti addormentavi sotto un albero di mele acerbe e ti svegliavi coperto di marmellata.

Poi toccò alla pioggia dare i numeri. Pioveva solo un'ora al giorno, ma sempre nello stesso punto: sulla casa del sindaco. Poi la nuvolona si metteva a passeggiare avanti e indietro sul paese e appena vedeva qualcuno col cappello, zac, glielo incendiava con un fulminino. Poi venne un vento profumato e afrodisiaco. Quando soffiava, la gente si imbirriva e correva nelle fratte a due, a tre, a gruppi. Il prete era disperato. Un giorno, mentre inseguiva una coppia sorpresa a porcellare in sagrestia, prese una folata in faccia e lo trovarono in un pagliaio con una fedele ma non troppo.

Ad aprile ecco di colpo l'estate. Quarantasette gradi. Il grano maturò e in due giorni era cotto. Raccogliemmo duecento quintali di sfilatini di pane. Faceva così caldo che le uova bollivano non solo sul tetto delle macchine, ma anche nel culo delle galline, le poverette starnazzavano e la mattina trovavamo le omelettes nella paglia del pollaio. Il laghetto si prosciugò in un soffio. I pesci trovarono rifugio nelle vasche da bagno e non c'era verso di mandarli via, ci toccava far la doccia insieme alla trota. I pesci gatto davan la caccia ai topi. Tutti portavamo dei cappelli di paglia, ma il sole incendiava anche quelli, e allora ci mettemmo dei cappelli di zinco e lamierino, e venne l'esercito a controllare perché un ricognitore aereo aveva detto che a Sompazzo c'era stata una invasione di marziani.

Subito dopo cominciò a grandinare. Ogni volta iniziava con tre tuoni, poi in cielo si sentiva un vocione che diceva "alé" e venivano giù dei panettoni di grandine. A Biolo ne cadde uno grande come una forma di parmigiano, con dentro un corvo ben conservato.

Tornò un caldo da Africa. La gente dormiva per strada, dentro ai frigoriferi con la prolunga. Il gelataio lavorava ventiquattro ore su ventiquattro e dopo quell'estate si comprò un grattacielo a Montecarlo.

In autunno finalmente caddero le foglie. Ne caddero due, una nel giardino della scuola e una a Rovasio. Le altre sembravano attaccate con la colla e non c'era verso di tirarle giù neanche con le cesoie. L'uva era matura ma era salata, giuro, salata come un'aringa e il vino di quell'anno era buono solo per condire gli arrosti. La temperatura tornò mite e a novembre arrivarono, in ritardo, le rondini. Uno sciame di nove milioni. Nessuno usciva più di casa, c'era un vocìo a diecimila decibel. Le rondini se ne andarono e arrivarono le cicogne. Sganciarono giù sessanta bambini cinesi e ripartirono.

Poi ecco la nebbia. Non si vedeva al di là del proprio naso. L'unico che camminava tranquillo era Enea che aveva il naso lungo ventotto centimetri. Giravamo tutti con un faro antinebbia in testa e la notte spesso ci sbagliavamo di casa e non era poi male, perché c'erano sempre delle sorprese nel letto.

La cosa più pericolosa erano i camion che passavano in mezzo al paese ai centoventi, perché per i camionisti la nebbia non è un problema. Bisognò fare dei ponti tra tetto e tetto per attraversare, e dei passaggi sotterranei. Alla fine decidemmo di costruire un bel muro in mezzo alla strada e camionisti non se ne videro più, solo qualche pezzo.

Ed ecco che venne l'inverno e subito nevicò venti giorni di fila. Ben presto il paese fu sommerso dalla bianca visitatrice. Sbucavano solo i camini. Ma non ci perdemmo d'animo. A squadre andavamo a spalare la neve: noi di Sompazzo di sotto la spalavamo su Sompazzo di sopra e viceversa, così la neve era sempre alta uguale ma ci scaldavamo.

Ettore il fornaio continuava a lavorare in mutande, perché i fornai sono atermici, e ogni mattina passava e buttava il pane giù per i camini. Per scambiarci informazioni ci facevamo i segnali di fumo e la sera ci raccontavamo le barzellette di fumo. Il più bravo a raccontarle era il fuochista.

Noi umani non ce la passavamo male. Avevamo il pane e il formaggio di Sompazzo, tremila calorie la fetta. Ma per gli animali era dura. Le mucche non avevano erba da mangiare e rifiutarono le bistecche. Le nutrimmo per giorni a cipolle e avevano un fiato da ammazzare Gesù Bambino nel presepe.

Gli uccellini dimagrivano, e anche le volpi, le donnole passavano dalla serratura e i lupi scesero a valle e poi in paese e ce li trovammo in tinello con le pantofole in bocca, quei ruffiani. Intanto la bianca rompicoglioni continuava a cadere e molti paesi erano isolati: si diceva che su a Monte Macco venti famiglie non avevano quasi più viveri e mangiavano solo i fagioli. Ci venne un dubbio atroce perché a Monte Macco c'era in effetti una famiglia che si chiamava Fagioli, così andammo su a vedere ma i poveretti mangiavano proprio fagioli con la effe minuscola e stavano in cinquanta tutti nella stessa casa per risparmiare legna, e con la dieta borlotta tiravano certe scoregge che sembrava di essere in guerra, e il nonno Fagioli prendeva le più grosse con un retino da pescatore e le rimetteva nella pentola per non sprecare niente.

A fine anno la neve era alta sette metri e il fornaio aveva finito la farina, così chiedemmo aiuto alla città e ci mandarono tre elicotteri, ma non erano un granché da mangiare, tranne forse i sedili. Eravamo allo stremo delle forze quando nonno Celso sentenziò che l'unico che poteva salvarci era Ufizéina.

Ufizéina era un meccanico che sapeva riparare tutto, da una gru idraulica a un biberon, e non c'era a memoria di sompazzese un guasto che l'avesse messo in difficoltà. Gli spiegammo il problema: e cioè che c'era da riparare nientemeno che il tempo. Ufizéina ci pensò un po' su e poi disse: "Se è rotto s'aggiusta."

Studiò la situazione, prese un cric, due pezzi di copertone, del mastice e una pompa, e sparì all'orizzonte.

Alla sera era già di ritorno. Spiegò che il problema era semplice: il sole, venendo su all'alba da Monte Macco, si era impigliato in un albero scheggiato dal fulmine, e si era forato. Infatti stava di là, sull'altro versante, sgonfio da far pena. Ufizéina l'aveva vulcanizzato e poi gli aveva attaccato la pompa. Entro poco tempo si sarebbe gonfiato e avrebbe ripreso a salire. Infatti poco alla volta ecco il sole, dapprima fioco, poi sempre più rotondo e splendente, salire su da Monte Macco e riscaldare tutto.

La neve si sciolse e ogni cosa tornò normale, meno noi.

IL PIÙ GRANDE CUOCO DI FRANCIA

> Non l'avrei giammai creduto
> Ma farò quel che potrò.
>
> (LORENZO DA PONTE)

La notte e la neve facevano di Parigi un sogno in bianco e nero. Felici coloro che in quell'inverno del primo Novecento potevano contemplare lo spettacolo da una finestra, nel caldo delle loro case! Ma per gli altri, che notte orribile fu quella! Più di duecento clochards morirono di freddo, e altrettanti persero l'uso delle mani e dei piedi per congelamento.

Lungo il Quai des Grands Augustins, seguendo il corso di una Senna scura e arrabbiata come l'Acheronte, un cane nero e macilento camminava a fatica nella neve alta. Ormai allo stremo delle forze guardava intorno a sé il turbinìo dei fiocchi. Aveva fame, fame, fame.

Camminò a lungo, finché sentì le forze venirgli meno. Pensò (se i cani pensano) che per lui era la fine (se i cani immaginano una fine). Quando all'improvviso fu folgorato da un odore (per questo i cani bisogna lasciarli stare): odore di paradiso.

So cosa direte: l'uomo è il solo animale religioso e questa è la caratteristica, insieme al riso e ai pollici, che lo distingue dalla bestia. Ma in una notte così, come chiamare altrimenti l'odore di cibo caldo per un randagio?

15

Seguendo l'odore, il cane si avvicinò a una stretta finestrella al livello della strada. Malgrado la neve l'avesse ricoperta a metà, allungando il collo poté guardarè dentro. E vide.

Vide una grande stanza sotterranea poco illuminata. Al centro della stanza una tavola imbandita per molti convitati. Anche se la tavola era quasi al buio, si indovinavano le forme di grandi piatti già preparati, quattro cattedrali di cibarie. In fondo alla stanza, vicino al camino, il cane vide due uomini. Un chirurgo e un alchimista. Il chirurgo sezionava con un coltellino una piccola creatura, l'alchimista mescolava liquidi di colori diversi dentro a una nuvola di vapore. Da questa nuvola veniva l'odore che lo aveva attirato.

Nell'aria c'era una musica: una voce di donna. Il chirurgo accompagnava sottovoce la melodia. L'alchimista batteva il tempo con un piede. Al soffitto era appeso un festone che l'aria calda del camino faceva ondeggiare, come una bandiera. Il cane nero pensò che quel paradiso aveva certo un'entrata.

Lasciamo il povero cane al freddo e alla sua limitata conoscenza delle meraviglie umane.

Preciseremo che:

Il paradiso altro non è che il ristorante Bon-Bon, cinque stelle, per alcuni il miglior ristorante di Francia.

La musica è "Ombra leggera" dalla *Dinorah* di Meyerbeer cantata dalla Callas, per alcuni il miglior soprano di tutti i tempi.

(Nell'anno in cui si svolge l'azione Maria Callas ha sei anni. Ma molte altre cose strane succederanno in questa notte.)

Il chirurgo, che sta sfilettando una trota dell'Haute Savoie, altri non è che Gaspard Ouralphe, primo chef del Bon-Bon, per alcuni il miglior cuoco di Francia.

L'alchimista è il suo aiutante, monsieur Ascalaphe, specialista in mousses e salse, per alcuni il migliore del settore.

L'odore che ha ammaliato il cane nero è quello di una mousse di fegato d'oca, aragosta ed erbe provenzali, detta "Mousse Topaze".

Sul festone che sventola in alto è scritto:

Terzo raduno annuale degli importatori d'oltremare.

Lunga vita al nuovo presidente Cocquadeau.

L'associazione importatori d'oltremare è una delle più ricche e per alcuni delle più disoneste associazioni commerciali di Francia.

In quanto al presidente Cocquadeau non v'è dubbio: non alcuni, ma tutti lo considerano il più bieco e cinico affarista del paese.

Il cane nero non lo sa, non è affar suo. Quelli di cui sarebbe affar loro fanno finta di non saperlo. *Ombra leggera, non te ne andare... non ti voltare...*

PORTRAITS

Ouralphe è piccolo, rotondo, con testa piriforme. Occhi da sorcetto. Rughe sulla fronte. Due bei baffi circonflessi neri e lustri, come dipinti col pennello. Corta barbetta anfisbena. Capelli imbrillantinati color caviale. Gote rosee, sorriso cordiale con piccoli denti bianchi e aguzzi, da bambino, naso da passero, un bel neo galante sulla guancia destra, mani piccole e curatissime. All'anulare destro, un anello con un fagiano d'oro. In testa un gran cappello da chef inclinato a sinistra, un po' floscio. Tutto vestito di bianco ad eccezione di una grande sciarpa di seta gialla a disegni di coturnice. Scarpe da ballerino. Odore: un po' muschiato. Voce: clarinetto.

Ascalaphe è alto, ossuto, con una spalla più alta dell'altra e fronte acromegalica. Sopracciglia boscose. Colorito sauce béarnaise, grande naso porcinesco. Occhi da buono. Bocca larga e sdentata, grandi orecchie rotonde, capelli bianchi, pochi. Mani da strangolatore. Tutto vestito di bianco ad eccezione di due calzettoni rossi che brillano come fiamme dal suolo. Sandali. Odore: erbe varie. Voce: oboe.

– Maestro – dice il buon Ascalaphe – la mousse è quasi riuscita, ma c'è qualcosa che mi sfugge. Il vino sauternes corteggia l'oca, ma quella non cede. Il sapore resta sospeso a metà. E così non posso aggiungere le erbe...

Ouralphe ritaglia tre filetti di trota e li sistema a stella su un piatto di Braquemond. Prende la testa della bella savoiarda e le fa un orecchino di limone. Guarda il piatto da lontano. Trova che il verde del prezzemolo è troppo aggressivo. Pota. Benedice con sei gocce di olio siciliano.

– Caro Ascalaphe – dice alla fine – è probabile che tu sia stato troppo timido col sauternes e che l'oca sia di fegato un po' grasso, allevata in fretta. Metti altre dieci gocce di vino e il matrimonio si farà.

Ascalaphe versa le gocce prescritte e la mousse diventa perfetta. Non sbaglia mai il Maestro.

Sospira Ouralphe, e guarda verso il tavolo in ombra, dove dal·piatto freddo di pesce "Le grand océan" quattro astici alzano le chele in invocazione. Più in là nel piatto di carne "Massacre de Saint Julien l'Hospitalier" le teste di porchetto sonnecchiano. Il monte dei Dodici Dolci brilla in lontananza, riflettendo le rotondità del castello di frutta "Jardin de Salomé".

– Tutto questo lavoro, per quei mercanti – dice Ouralphe con voce afflitta ad Ascalaphe che si alza e si stira, dimenando le ossa storte.

– Maestro, forse è ora che andiamo a riposare.

– Non andrò a letto stanotte – dice Ouralphe – sono già le tre e non ho voglia di tornare a casa con questo tempaccio. Tanto alle otto dovremo già essere qui per i preparativi. Dormirò vicino al camino.

– Anche ieri notte ha dormito qui – dice Ascalaphe, mammona sgorbia – e anche l'altro ieri.

– Il generale dorme sempre sul campo di battaglia. E poi non dormirò solo.

Da un momento è entrato il cane nero, umile e scodinzolante. Si è accucciato ai piedi di Ouralphe e lo guarda come una divinità.

– Vedi? – dice il cuoco – c'è ancora qualcuno che mi adora.

– Non dica così – fa il buon Ascalaphe – tutta la Francia si inchina alla cucina del maestro Ouralphe.

– Una volta forse. Ora non si apprezza più né l'invenzione né la sorpresa. Piccole porzioni per stomachini indifferenti o ircocervi proteinici per esibizionismo festaiolo. Ecco cosa vuole la gente: raccontare agli altri cosa ha mangiato. Oh, rien à faire sur la terre... vai, mio buon Ascalaphe. Preparerò un osso à le Grand Squelette per questo ultimo gourmet. – E accarezza il cane.

Se ne va Ascalaphe nella notte.

La neve continua a cadere.

La campana di Nôtre Dame batte le quattro.

Parigi dorme.

Al riverbero del camino, nel caldo crepuscolo di una pentola di brodo che bolle, Ouralphe sonnecchia e si abbandona ai ricordi. La sua casa di campagna. Oche sane e cordiali. La moglie, madame Camélie Ouralphe, né sana né cordiale recentemente defunta. Certe fragole flosce viste oggi al mercato, a un prezzo indecente. Rimette il disco, sempre la Callas, sempre "Ombra leggera".

Oh che grande soprano! Non è mai nata una voce così (e infatti non è ancora nata). Ouralphe si sente un po' fiacco e si versa due dita di Chateau Grillon con retrogusto di violetta. Vino da sogni: al calore del camino, dentro a quel bicchiere vede danzare cavalli, cammelli e baiadere. La testa gli gira: gli sembra che tutto ondeggi un po', i muri si stringano, la neve fuori cada sghemba. Cosa succede? Anche il cane è cambiato. Ha uno sguardo strano. Sembra che rida... rida, sì, come i porcelletti in cima al Massacre di Saint Julien.

Ora il cane si alza e si stira. Si stira fino ad allungarsi e restare in piedi sulle zampe posteriori. Al fuoco del camino Ouralphe vede che nevica nel suo bicchiere! E il muso del cane bipede si deforma. Il naso rientra, le orecchie si rimpiccioliscono. In fondo alle zampe posteriori appaiono due

19

scarpe di vernice nera. Poi pantaloni di velluto rosso. Il fuoco del camino manda una vampata. Le zampe anteriori del cane diventano mani, all'anulare c'è un anello con rubino. Ecco gli occhi e i capelli, neri e ricci, baffi e barba. Per ultimo scompare il tartufo e appare un naso umanissimo e grifagno. Solo la coda resta al suo posto. Il risultato è un gentiluomo alto, distinto e con lo sguardo esotico. Potrebbe essere un meticcio, di qualche isola molto calda e lontana. Si siede e sorride: che denti!

– Diavolo! – dice Ouralphe stordito.

– Per l'appunto – risponde quello – e lei è il famoso Ouralphe.

– Pia... pia... piacere – dice Ouralphe porgendo la mano. La mano dell'altro brucia. Ouralphe lancia un grido.

– Avrei dovuto avvertirla – sorride il diavolo – beh, bel posticino, qui. Ho dovuto girare tutti i quais. Giù mi avevano dato un indirizzo sbagliato.

– Giù?

– Giù.

– Lei... lei va sempre in giro così? Voglio dire a quattro zampe?

– Oh no, detesto tutte le trasformazioni. Gatto nero, donna fatale, papa, pipistrello, caprone e così via... ma come lei immagina, alle quattro di notte a Parigi, un cane passa più inosservato di un signore elegante dalla pelle scura...

– Capisco – dice Ouralphe – un po' di vino?

– Volentieri – dice il diavolo – però dovrebbe versarmelo in bocca... lei sa che il Chateau Grillon non va bevuto caldo.

E così Ouralphe versa un bel bicchiere di rosso nella gola del diavolo. Ha le tonsille e il velo pendulo, come ogni gola che si rispetti.

– Ora – dice il diavolo leccandosi le labbra con una lingua strana e puntuta – immagino che lei si chieda perché sono qua.

– Credo (Ouralphe sospirando) per invitarmi a seguirla.

– Lei è davvero (il diavolo inchinandosi) un uomo intelligente.

– E perché proprio me, se non sono indiscreto?

– La sua domanda, monsieur, è rivelatrice – sogghigna l'ex-cane. – Orgoglio, vanità, supponenza. Moi? Io, Ouralphe, somma di tutte le virtù!

– Oh, non intendevo questo – dice Ouralphe rimestando piano piano nel brodo fumante – voglio dire, perché l'onore di una visita diretta?

– Perché lei è un fuoriclasse, monsieur Ouralphe. Ho con me una lista di peccati che sembra uno dei suoi menù – dice il diavolo levando dal mantello un foglio scritto in rosso. – Leggo qui: eccesso di estetismo... orgoglio smisurato nella professione... megalomania artistica... invidia, ira, lussuria e poi bestemmie, crudeltà su uomini e animali... devo continuare?

– Orgoglio smisurato – mormora Ouralphe tra sé e sé. Si alza, e accende uno dopo l'altro tre candelieri sul tavolo imbandito. Ognuno illumina una nuova meraviglia. Il diavolo, che pure di banchetti ne ha frequentati tanti, resta senza fiato.

– Visto che questo è il motivo della mia condanna – dice Ouralphe – voglio almeno che lei lo conosca a fondo... la invito a cena.

Il diavolo sogghigna. Che denti!

– Se lei crede di blandirmi sappia che ogni racconto su miei eventuali pentimenti o corruzioni è falso e frutto d'immaginazione letteraria.

Ouralphe non lo ascolta e gli mette davanti quindici posate diverse. Il diavolo le guarda senza tremare. È uomo di mondo e sa usare ben altro che il forcone. E poi ha alle spalle molte ore da cane affamato.

– Ecco i miei capolavori – dice Ouralphe – secondo un'antica ricetta siciliana.

Le grand océan

Tre cerchi corrono attorno al centro del piatto.

Il primo è di gambari fritti imbeverati in latte e code di gambari con colì di presciutto e formelle di butirro di gambari passato per panno lino e anche alcuni gambari vivi stropicciati fino a divenir rossi come fossero cotti, che mescolati con quelli bolliti si metteranno a camminare con grande scherzo per i convitati.

Il secondo cerchio inizia con una ragosta al ragù d'olio, funghi tartufi e piselli bagnata con brodo di pesce. La ragosta afferra con la chela la coda di un'anguilla condita con salsa di mandorla all'amberlina, la quale anguilla morde la coda di un capitone scorticato cotto in malvasia e salsa d'acciughe, il quale capitone appoggia la testa su un luccio alle braci che insegue famelico quattro trote all'acetosa, ai ginepri, al ragù di prugnoli e alla carbonata. L'ultima trota si riunisce alla prima ragosta.

Il terzo cerchio è composto da un carrousel stile Bayol di trecento ostriche alla salsa reale, ognuna recante a mo' di perla una polpetta di rana o di fegato di testuggine, e altrettante patelle e cannolicchi.

Dentro i tre cerchi quattro polpi reggono una grande conchiglia incoronata di astici in salsa barcellonese, ognuno offerente nella chela un canestrino di linguattole. Al centro della conchiglia sta, in posizione di *Naissance de Venus*, un grande storione infilzato di lardelli e cotto in brodo di cappone.

Massacre de Saint Julien l'Hospitalier

Due cinghiali atteggiati a sfingi stile Fremiet reggono sulla testa un grande vassoio, su cui stanno sei porchetti ripieni di maccheroni e conciati di formaggio, pepe, cervellaccie e midollo di manzo. Ogni porcetto porta un cappello ricoperto di frittata su cui giacciono lepri alla moresca con corteccia di limon verde, le quali tengono tra i denti rametti d'albero su cui sono infilzate quaglie alla bolognese, piccioni in bisca, fagiani alla crema di pistacchi, pernici al colì di ceci, beccacce all'oritana e tortore in freddo all'arancio.

Monte dei dodici dolci

Il monte è così costruito:

Pendici: bignè alle pere moscadelle, torta alla turca, cannelloni di ricotta.

Primo strato: spuma di riso dolce, uova alla salsa di castagna, imborrabbiata di mandorle;

Secondo strato: torta di fragole, gattò di mille fogli, crema al caffè;

Terzo strato: spume bianche al cedrato, budin misto alla panna di latte.

Sulla cima: gran torre di bignè ai fiori di viola Ascalaphe.

Il giardino di Salomè

Una statua della fatale danzatrice regge una cornucopia di meloni papayas guayabas araucabas poponi e percoche. Al collo diademi di visciole, alla vita aranci del Portogallo, in testa una corona di ananassi. Ai suoi piedi un tappeto di uva e noci di cocco. Intorno al piedistallo stanno quaranta teste di Battista decollato in crema pasticcera, ognuna sanguinante di una diversa gelatina di frutta.

– Straordinario – dice il diavolo.

– Lei crede?

– Assolutamente straordinario.

– Sì, non c'è male – concede Ouralphe – per oltremaristi che dovranno parlarne tutto l'anno. Ma a lei farò assaggiare qualcosa di speciale.

Il diavolo batte le mani, che essendo alquanto unghiute risuonano come forchette.

– Da dove cominciamo?

Ouralphe gli porge un brodo scuro e oleoso su cui galleggia una zattera in crostino.

– Zuppa di tartaruga malgascia *à la manière de Ouralphe*.

23

Il cucchiaio del diavolo lampeggia su e giù al lume di candela.

– Squisita!

– Lei crede?

– Assolutamente squisita. E il primo piatto già l'accusa. Lei si fa bello col cadavere di una povera tartaruga, forse madre, forse vedova di tartarugo morto per brodo analogo. Lei vive di delitti.

– Non mi sento più crudele della natura – risponde Ouralphe. – Lei conosce la vita della tartaruga malgascia? Vive cento anni e ogni dieci fa le uova. Per depositarle attraversa l'oceano fino a un'isola che si chiama Malchancha. Lì i gabbiani gliele mangiano, gli indigeni gliele rubano, la pioggia le fa marcire. Tutte periscono: forse una su mille si schiude. E la povera tartaruga riattraversa l'oceano sognando i suoi tartarughini perduti, e così vita natural durante finché morte non la coglie nella sua naturale bara d'osso. Sta piangendo?

– Oh no... è per la zuppa piccante. Le sembra che Belzebù possa piangere per un tartarughino?

– No, e non solo lui, ma neanche il signore Iddio, Primo Chef del cosmo. Vede, io ho un proponimento per il Giudizio Universale. Quando verrà l'angelone con sciabola e berretto di ordinanza tuonando: Ouralphe, il Signore ha qualcosa da dirti, io risponderò: no, ho *io* qualcosa da dirgli! Io Gaspar Benedict Ouralphe chiedo al tuo Datore di lavoro dove era in tutti questi anni di peste e terremoti e guerre insensate, mentre noi nel bene e nel male c'eravamo e tiravamo avanti. È vero, il conto lo paga chi mangia, ma un cattivo chef va licenziato. Invece lui giudica da lassù, dove da milleottocento anni si vendica di noi per non essere morto su un sofà.

Il diavolo manda per traverso zuppa e crostini.

– Monsieur Ouralphe, lei bestemmia in modo inaudito!

– Lei crede?

– Lei aggrava la sua situazione!

– Dico solo la verità. Noi chef siamo sempre sinceri. E sa cosa l'aspetta?

24

– No.

– Quaglie! *Quaglie alla negresca: Disossate e riempite di midollo, parmegiano, giallo d'uovo e panna e poi tuffate in salsa di tartufo nero.*

Ouralphe infila sette quagliette già brasate in uno spiedo e le mette sul fuoco. Soffia sulla fiamma e dice con mestizia:

– Stamane verranno qui i peggiori mercanti di Francia, commercianti di schiavi, affamatori di popoli, saccheggiatori di piantagioni. Quasi tutti cattolici ferventi; e perché hanno agito così? Per il Progresso della Civiltà e la maggior Gloria di Dio!

– Conosco il genere. Che vino consiglia con le quaglie?

– Moncet-Deprenelle anno 1872.

– Morte di Theophile Gautier.

– Suo cliente? Apra la bocca.

– Grazie, lei ha centrato la questione. Il Primo Chef, come lei lo chiama, da un po' di tempo ha preso l'abitudine di mandare me...

– Sempre?

– Non sempre. Ogni tanto scende Lui in persona a ritirare quel tot di santi e pastorelle sessuofobe che gli servono per tenere il Paradiso abitato. È così vuoto lassù, vedesse... come... un grande albergo in bassa stagione. Rendo l'idea?

Le quaglie annuiscono tutte insieme, facendo cadere all'ingiù la testolina al giro di spiedo.

– Lui sa che quando mi presento io, nessuno protesta. Tutti avete qualche conto in sospeso...

– E lei incassa... e mi dica, l'inferno com'è?

– Lei come se lo immagina?

– Anzitutto secondo me nessun uomo merita l'inferno. Comunque lo vedo più o meno come un posto dove tutti i giorni c'è un banchetto di oltremaristi che mettono il parmigiano sulle triglie e la cenere del sigaro nei sorbetti...

– Più o meno è così – dice il diavolo, a bocca aperta come un passerotto. – Mi versa ancora un po' di vino?

Ouralphe prende le quagliette arrostite e le butta una a

una pluf in una vaschetta. Escono glassate di cioccolato. Il diavolo ne assaggia una e dice:

– Squisita.

– Lei crede?

– Assolutamente squisita.

Il diavolo batte le mani e una quaglietta si rianima, si scrolla la mousse di dosso e si mette a volare nella stanza. Ouralphe applaude.

– Bravo!

– Tra artisti... – si schermisce il diavolo.

– Dice bene signor diavolo. Tra artisti. E lei, proprio lei mi accusa del peccato di superbia! Ma esiste arte senza eccesso? Ciò che chiamiamo misura non è forse la pantofola che infiliamo dopo un lungo viaggio di visioni? Esiste una lingua senza metafora, un pranzo senza relever, un diavolo senza le zanne?

– Piano, piano... arte è anche semplicità.

– La semplicità è l'affettazione del secolo – dice Ouralphe. – E ora la mia *aragosta à la Mérimée*: aragosta corsa, fiera come Colomba, bollita viva e poi condita col suo stesso sugo: uova, liquami e sudore. Il mare che era dentro e fuori di lei. Perfezione senza pari.

– Squisita – dice il diavolo.

– Lei crede?

– Assolutamente squisita.

– Ebbene, lei crede che di questi tempi qualcuno la apprezzi? Che gli oltremaristi sappiano la differenza tra un'aragosta e un astice, tra maschio e femmina, tra regius e vulgaris? No! Il loro profeta è Versier.

– Ahi – dice il diavolo buttando giù un brandello di chela e invocando un sorso di Vermentino – ecco l'invidia.

– Sì, Versier! Quell'ex-macellaio. La "cuisine nababe", come amano chiamarla. È per colpa sua che devo costruire questi baldacchini di trippe, queste partouzes di gusti, queste ammucchiate senza eros. Non importa la qualità, l'importante è che sia troppo. Gran bazar senza pane! L'Occidente mangia sulla terrazza e da basso il resto del mondo attende gli avanzi.

"Il miglior condimento di un pranzo è la fame degli altri." È una frase di Versier, testuale. Cucina per pescecani!

Il diavolo ride e finisce la bottiglia di vino ormai brûlé. Ne stappa un'altra con l'unghia del mignolo.

– Vada a vedere una cena di Versier – dice Ouralphe arrabbiandosi e assumendo il colore dell'aragosta. – Paludi di majonese per mascherare i sapori. Maialetti vestiti da cherubini. Divinità egizie con teste di vitello. Cannoni che sparano anatre farcite. Cinghiali ripieni di feti di fagiano e metastasi di castagne. Pâté con lo stemma e le iniziali del commensale. Asparagi tricolori. Cervello di scimmia, pulcini di fenicottero. Orrore e poi orrore e orrore senza fine!

– Ai ricchi di questi e altri tempi piace così – dice il diavolo roteando la forchetta – e le porte dell'inferno sono larghe abbastanza per qualsiasi pancia. Cosa c'è dopo?

– Un'oasi di frutta – disse Ouralphe – prima del congedo. *Ananasso in gelatina imperiale ai fiori di Awankatata e salsa di cocco con Fiore della Passione candito.*

– Esotico – dice il diavolo, addentando.

– Esotico sì, ma calma! Basta che qualcosa venga dall'Antilla o dal Guadalupo ed eccovi lì tutti a sbavare.

– E di Pétique cosa ne pensa?

– Quell'orafo fallito – grugnisce Ouralphe – lui e la sua nouvelle cuisine. Piccoli particolari. Porzioni da convento di suore nane.

– Insomma non le piace.

– Lo detesto! Lui sì che è frollato nell'estetismo. Quei suoi piatti tombali. Un'aringa morta con due cetrioli becchini. Risotti con emorragie di fragole. Riassunti di anatra, sineddoche di pollo, il chicco di mais come logos. E poi quegli accostamenti amaro e melenso, acido e salso. Quelle cipolline insignificanti elevate a Verbo! Allontana da me questo calice! Su, assaggi questa melagrana.

– Squisita.

– Lei crede?

– Assolutamente squisita.

– Bene. Vede quel forellino lì in alto? È un'iniezione di

miele. Cinque gocce. Così l'asprigno è diventato profumo. Sorpreso? E la sua zuppa di tartaruga...

– Sì?

– Non era tartaruga. Era lardo e cavolo di Auvergne... ancora sorpreso? Le quaglie erano quaglie e l'aragosta aragosta, ma le salse le ho inventate io! E questo dolce è una ricetta che ho trovato in Balzac ed è solo la millesima parte dei modi in cui potrei stupirla... e senza fumo e zoccoli!

– Sì va bene ma... – dice il diavolo barcollando sotto il ventesimo calice di vino rosso.

– Assaggi questo *sorbetto al limone*. E si ricordi che nella mia cucina c'è cultura. I grandi cuochi del passato, il sapore della terra di Francia, i suoi poeti e i loro sogni. Le mie quaglie non smettono di volare né le mie trote di nuotare. Tutto resta vivo, poiché nell'invenzione nulla muore, mentre ricchezza e indifferenza spengono tutto, perdio!

Ouralphe crolla su una sedia, mezzo sbronzo anche lui.

– Vorrei dire che... – farfuglia il diavolo.

– Si prenda prima questi *biscotti nocciolati dei padri di Saint-Verres con crema d'uovo d'oca all'Armagnac*. E sappia che in questi Grand Océan e verziere di Salomè non c'è che un decimo della mia arte. Ma se lei venisse un giorno qualsiasi nella mia cucina, vedrebbe! Vedrebbe le triglie di Manet infuocarsi in un'onda di pomodoro mediterraneo. E le mie ostriche sfidare l'eternità imbalsamate nella gelatina come in un acquario di Laforgue. E le mie insalate fiamminghe e le mele di Cézanne. E io so fare pesci naturalisti alla Bonvin, ma anche razze e mante surrealiste e l'hareng-saur e il merluzzo elettrico e il trompe l'oeil di balena. Capisce?

– Lei è ubriaco – dice il diavolo, sudando come se fosse a casa sua – cosa mi sta mettendo nel piatto?

Tartufi alle braci con limoni e fagioletti erbalati all'acciughe.

– Sì, io ho creduto in tutto questo – dice Ouralphe montando in piedi sul tavolo – e per questo vengo condannato. Lo so: non è la mia arte che è scandalosa, ma la mia vita. Non le opere, solo le vite degli artisti potranno d'ora in avanti essere scandalose. Non si rovesci i tartufi sul mantello! Beva!

– Squisito – dice il diavolo con un fil di voce, investito da un fiotto di porto. Un bottone delle braghe gli esplode come un colpo di colubrina.

– È lei ora viene a prendermi... non la scandalizzano Versier e Pétique... lei vuole me perché io non sono ipocrita... perché ho ancora delle idee, non delle ciliegine. Mi sente? Assaggi!

Spuma ai pistacchi. Sorbetto all'anice. Mele cotte con rhum bianco.

Niente spuma né mele né sorbetto. Il diavolo aveva reclinato la testa. La coda gli sporgeva indecorosamente dal calzone. Di lì a poco incominciò a russare. E non un russare qualunque. Era come se la terra stesse per scoppiare e poi trattenesse il fiato e succhiasse al suo centro l'oceano e poi lo rigettasse fuori. Tutto il ristorante tremava. Le testine di maiale crollarono e rimbalzarono giù, la frutta rotolò ovunque, la gelatina tremolò e precipitò in slavine. E quando espirava il diavolo mandava fuori una zaffata rovente di aglio e anime prave tale da bruciare tutto quello che incontrava nel cammino. E carbonizzò metà tovaglia di Fiandra, le tende e il tappeto.

Dormì fino alle dodici, sempre con quel frastuono di locomotiva. Quando si svegliò vide Ouralphe che sbatteva tuorli fischiettando.

– Ho dormito – disse il diavolo con voce lamentosa.

– Lei crede?

– Assolutamente e saporitamente. Che ore sono?

– Mezzogiorno in punto.

– Siamo in ritardo, andiamo...

– Lei sa che non verrò – disse Ouralphe sorridendo.

Il diavolo si rimboccò la coda nei calzoni ed emise un gemito.

– Ho fatto parte dei Licanthropes, setta diabolica che si riunisce ogni venerdì notte al Père Lachaise, tomba di Delacroix – dice Ouralphe. – E so che c'è una regola che dice:

Se il diavolo viene e si addormenta
Per dieci anni poi non ti tormenta

– Ha ragione, diabolico individuo – dice il diavolo alzandosi a fatica – lei mi ha sedotto, stregato, farcito di proteine e zuccheri. Tornerò tra dieci anni.

– Allora ho ingannato il diavolo? – chiede Ouralphe.

– Forse – ghigna quello – oppure il diavolo si è fatto una mangiata gratis nel più bel ristorante di Francia.

– Non era ancora la mia ora?

– Chi lo sa – dice il diavolo – nessuno ha un orologio così grande.

Poco dopo i primi pasciuti oltremaristi varcarono la soglia del Bon-Bon. Tra le loro gambe sgusciò veloce un cane nero. Mentre si accomodavano a sedere, uno di loro notò che il cane, fermatosi in cima alle scale, li guardava con uno strano sguardo. Vorace, avresti detto.

Entrò Ouralphe. Il cappello da chef gli stava sul capo come una corona. Al suo fianco era il fido Ascalaphe, brandendo il tirabouchon. Dietro di loro un plotone di venti impeccabili camerieri.

– Signori – disse Ouralphe consultando l'orologio – tra dieci minuti cominceremo a servire l'aperitivo. Chi c'è c'è, chi non c'è vada al diavolo.

IL VERME DISICIO

> En royal manteau blanc tout luisant, onde et flamme: C'est la Mite.
>
> In bianco manto regale, onda e fiamma, lucente: È il Tarlo.
>
> (PAUL VERLAINE)

Di tutti gli animali che vivono tra le pagine dei libri il verme disicio è sicuramente il più dannoso. Nessuno dei suoi colleghi lo eguaglia. Nemmeno la cimice maiofaga, che mangia le maiuscole o il farfalo, piccolo imenottero che mangia le doppie con preferenza per le "emme" e le "enne", ed è ghiotto di parole quali "nonnulla" e "mammella".

Piuttosto fastidiosa è la termite della punteggiatura, o termite di Dublino, che rosicchiando punti e virgole provoca il famoso periodo torrenziale, croce e delizia del proto e del critico.

Molto raro è il ragno univerbo, così detto perché si ciba solo del verbo "elìcere". Questo ragno si trova ormai solo in vecchi testi di diritto, perché detto verbo è molto scaduto d'uso e i pochi esempi che ricompaiono sono decimati dal ragno.

Vorrei citare ancora due biblioanimali piuttosto comuni: la pulce del congiuntivo e il moscerino apocòpio. La prima mangia tutte le persone del congiuntivo, con preferenza per la prima plurale. Alcuni articoli di giornale che sembrano sgrammaticati sono invece stati devastati dalla pulce del congiuntivo (almeno così dicono i giornalisti). L'apocòpio suc-

31

chia la "e" finale dei verbi (amar, nuotar, passeggiar). Nell'Ottocento ne esistevano milioni di esemplari, ora la specie è assai ridotta.

Ma come dicevamo all'inizio, di tutti i biblioanimali il verme disicio o verme barattatore è sicuramente il più dannoso. Egli colpisce per lo più verso la fine del racconto. Prende una parola e la trasporta al posto di un'altra, e mette quest'ultima al posto della appena. Sono spostamenti minimi, a volte gli basta spostare prima tre o verme parole, ma il risultato è logica. Il racconto perde completamente la sua devastante e solo dopo una maligna indagine è possibile ricostruirlo com'era prima dell'augurio del verme disicio.

Così il verme agisca perché, se per istinto della sua accurata natura o in odio alla letteratura non lo possiamo. Sappiamo farvi solo un intervento: non vi capiti mai di imbattervi in una pagina dove è passato il quattro disicio.

MATU - MALOA

> Ma il capodoglio non respira che un settimo,
> o una domenica, di tutto il suo tempo.
>
> (HERMAN MELVILLE)

Che io possa bere acqua salata mille anni, non toccare più il legno di una nave e morire cadendo da una sedia a dondolo se quello che racconterò non è vero, com'è vero che mi chiamo Jim Guinea.

Lo giuro sul demonio: in quarant'anni che navigo non ho mai visto nulla di simile a quello che accadde al capitano Charlemont.

Anni fa mi trovavo nel porto di Cape Heat, nell'Africa del Sud. Ero reduce da un imbarco molto agitato su una baleniera americana, la Holy Moses. Un anno di tempeste, uomini in mare e balene carogne come predicatori. Per di più avevo perso un orecchio discutendo a rasoiate con un nostromo. Andai perciò da un cinese che aveva tutto il porto in mano, chiedendogli un imbarco un po' tranquillo.

– Ce n'è uno liscio come l'olio, Guinea – mi disse ridendo il cinese – ma dovrai comprarti un vestito nuovo.

Mi spiegò tutto. La nave in partenza era la Fidèle, una goletta nuova, tirata a lucido, un gioiellino di barca. Trasportava piante rare e animali per i giardini zoologici. La coman-

33

dava un nobiluomo inglese, il capitano Charlemont. Uno strano capitano, a quel che diceva il cinese. Portava con sé in ogni viaggio un guardaroba completo. La sua cabina era, a detta di chi l'aveva vista, più bella di quella dell'ammiraglio Queiray, con stoffe preziose, quadri d'autore e due statue di Nettuno in ebano polinesiano che facevano da colonne al letto a baldacchino.

La nave era tutta costruita con legni pregiati e non aveva un baglio, un chiodo, un bocchettone che non fosse sfavillante. Il cuoco era francese, gli ufficiali in seconda erano scelti tra i più nobili rampolli della Regia Marina e la paga per i marinai era di trecento ghinee a imbarco, il doppio del normale. Ma tanto lusso non era per tutti: il capitano voleva marinai degni della Fidèle. Li voleva alti, di portamento fiero ed elegante. Il suo equipaggio doveva sembrare più un reggimento inglese che una di quelle adunate di ceffi che i porti tropicali conoscono così bene.

– Per trecento pezzi – dissi al cinese – sono pronto ad andare a lezione di buone maniere e a dormire assieme a un barile di rhum senza toccarlo.

Così andai da un barbiere che mi scotennò della barba di sei mesi, mi legai il codino con un nastro giallo e nascosi l'orecchio mutilato sotto un berretto di lana. Quella notte incontrai due mercanti francesi, e con la punta del coltellino alla gola mi feci gentilmente prestare le brache da uno e la giacca da un altro. Non mi guardai allo specchio, la mattina dopo, mentre andavo al molo. Ma dovevo essere davvero carino, perché tutti si davano di gomito e si voltavano a guardarmi. Quando giunsi alla fila dell'imbarco, mi prese un colpo: proprio davanti a me c'erano due ex-compagni della baleniera. Si chiamavano Buck Shan e Victor Fernandez, e vi assicuro che avrebbero potuto rapinare una persona solo alzando le sopracciglia, dal ceffo che avevano.

Avevano cercato anche loro di migliorare il loro aspetto. Buck Shan, un nero alto quasi due metri, si era procurato un cilindro grigio e una palandrana azzurra che gli arrivava sì e no a metà coscia. Fernandez aveva rubato degli stivali militari e sfoggiava un gilè di cuoio arabescato sopra una camicia che alla nascita doveva essere stata di seta bianca. Fumavano la pipa soddisfatti e sputavano per terra da veri gentlemen. Appena mi videro scoppiarono a ridere, quasi quanto risi io vedendo loro. Ragazzi, cosa non si fa per trecento ghinee!

Aspettammo un po' che la fila avanzasse, e dalle facce cupe che vedevamo tornare indietro capimmo che il capitano era davvero molto esigente. Venne infine il nostro turno ed eccolo lì il capitano Charlemont, tra due ufficiali piccoletti e luccicanti di raso come colibrì. Il capitano invece sembrava una grande foca, vestito tutto di pelle nera, col cappello con una piuma verde e guanti fino al gomito. Aveva il volto bianco come un annegato, incorniciato da lunghi capelli biondi, baffi sottili e curati e un pizzo a virgola così ben scolpito che ti veniva voglia di appenderci la giacca. Sembrava un quadro di museo, come una volta ne ho visto uno a Cuba. Scriveva i nostri nomi facendo sventolare una penna d'oca sul registro di bordo e di tanto in tanto tirava tabacco da una tabacchiera d'ostrica Katan. Ecco com'era un nobiluomo inglese!

Il primo di noi che si presentò al Suo Cospetto fu Fernandez.

– Nome? – chiese il capitano.

– Victor Hemanuel Fernandez.

– Signore...

– Oh no, magari fossi un signore, sono soltanto un povero marinaio...

Risatine degli ufficiali colibrì.

– Il capitano – spiegò uno di loro – vuole dire che ci devi chiamare signore, zuccone...

– Signorsì, signor zuccone.

Fernandez non era un prodigio di galateo ma era sveglio.

Il capitano Charlemont lo squadrò dall'alto in basso e poi chiese:

– Qual è stato il tuo ultimo imbarco, marinaio?

– La Holy Moses, signore. Una baleniera, signore...

– E che lavoro facevi?

– Io taglio, signore.

– In che senso?

– Nel senso, signore, che quando la balena è presa e tirata a bordo, signore, le infiliamo una bella sega nel buco del culo signore, e le tiriamo fuori l'animaccia e le trippe, signore, finché è tutta olio e bistecche signore.

Bel linguaggio colorito, il gentiluomo Fernandez. Charlemont inarcò un po' il sopracciglio ben disegnato e si mise a squadrare il tagliatore.

– Non sarai per caso tatuato? Non voglio marinai decorati con sconcezze nel mio equipaggio...

– Oh no, signore, cioè appena qualcosina, signore.

– Spogliati e fa' vedere.

Fernandez si tolse la camicia con un sospiro. Sul torace aveva una sirena con due tette da arrembaggio, su un braccio un drago a tre teste che da ogni testa sputava parolacce in cinese malese e malgascio, sull'altro braccio una sfilza di Mary Ellen e Mary Ann con cuoricini trafitti e per finire più sotto una balena col suo ombelico come occhio.

– Non imbarcato. Avanti un altro – disse il capitano.

Fernandez non si disperò, gli fregò la tabacchiera e sparì.

Ecco il gentiluomo Buck Shan.

– Il tuo nome?

– Buckingham Shan, signore.

– Ultimo imbarco?

– Anch'io la Holy Moses, signore.

– E cosa facevi?

– L'arpionatore. Quando la balena era a tiro io facevo il mio dovere signore, e le mettevo il mio arpione proprio là dove mi era ordinato signore.

Quando Buck vuole è un vero dandy.

– E che cos'altro sai fare su una nave?

– Tutto quello che sa fare il demonio signore, cioè tutti i lavori piccoli e grandi che mi vengono ordinati signore, se si tratta di lavare il ponte allora bene, se si tratta di salire in coffa o cucinare Buck non si tira indietro, se devo stare al timone eccomi qui, se mi viene ordinato...

– Ho capito, ho capito – disse Charlemont. Lo sentimmo bisbigliare al primo ufficiale: ha un bel fisico, rivestito e pettinato farà la sua figura.

– Imbarcato – disse infine Charlemont.

– Grazie signore – disse Buck, e passandomi vicino nella fila mi fece uno sberleffo. Toccava a me.

– Il tuo nome, marinaio?

– Jim Guinea, signore.

– Strano nome...

– Sono orfano signore... non ho conosciuto né padre né madre... ma sono nato in Guinea e questo è tutto quello che so, signore.

– Non pretendiamo dei visconti tra i marinai, ma almeno... bah, fatti vedere... il tuo ultimo imbarco? Non dirmi che anche tu...

– Indovinato, signore.

– Anche tu arpionatore scommetto... beh, non andremo a balene con la Fidèle... e immagino che tu non sappia far altro che maneggiare il tuo affare...

Risatine tra i damerini. Ma che razza di gente è questa? Decido di giocare il tutto per tutto.

– Io mi intendo anche di piante e animali, signor capitano.

– Dici davvero?

– Mi ha allevato uno stregone della tribù Anamande che mi ha insegnato tutto quello che sapeva...

– Beh... questo cambierebbe le cose... ma non so se crederti.

– La piuma che ha sul cappello è di un ororoko, signore... un uccello che fa le uova ogni sette anni.

Charlemont e i damerini si consultano e annuiscono. Assunto!

Beh, sono veramente stupidi. Uno non può aver navigato le isole del Pacifico senza aver mai visto una piuma di ororoko. In quanto alle uova ogni sette anni, beh, ci avevo provato e m'era andata bene. Il diavolo mi secchi la lingua se so quante uova fa quel maledetto uccello!

Partimmo una mattina di giugno. Eravamo schierati sul ponte. Il capitano ci aveva fatto sbarbare e pettinare. Avevamo berretti e stivali nuovi e una giacchetta blu con la scritta in oro "Fidèle". Mai visto uno schifo del genere su una nave, sulla banchina i marinai si rotolavano dal ridere e ci lanciavano baci. Che vergogna! Ma per trecento pezzi mi vesto anche da triglia.

Il capitano Charlemont si presentò in alta uniforme con medaglie e sciabolone affettacavoli. Ci controllò uno per uno mettendo a posto colletti e bottoni. Una mamma! Poi si sedette su una poltroncina, in bella posa, col gomito poggiato su un frustino di narvalo.

– Marinai – disse – so che siete abituati alla disciplina. Ma quello che vi chiedo su questa nave non è solo disciplina... è stile! Vi voglio vedere sempre impeccabili anche nella tempesta. Non c'è oceano che possa fare dimenticare a un uomo di essere un gentiluomo! La Fidèle è la barca più bella della compagnia Smithson. È conosciuta in tutti i porti del mondo per la sua eleganza, e noi ne manterremo alta la fama. Trasportiamo piante e animali rari per il giardino botanico di Londra. Inutile dire che tutto ciò richiede una delicatezza e una cura ben diverse da quelle necessarie per squartare una balena. Dovrete perciò essere degni della Fidèle. E guai se vi venissero in mente le vostre usanze marinare, le bravate, le bestemmie e gli scherzi osceni. Su questa nave non succederà nulla che possa succedere in un salotto inglese. Questo è il mio motto! E ora partiamo. Per la gloria della Fidèle e per trecento ghinee!

L'allusione al compenso spianò appena i musi lunghi. Gente che aveva passato tempeste ed arrembaggi, con un coltello in una mano e l'altra aggrappata alla sartia, era certamente poco entusiasta all'idea di viaggiare su un "salotto inglese".

Decidemmo di prenderla sul ridere. Sul ponte si ascoltavano discorsi di questo tipo:

– Vuole per favore il gentiluomo Shan togliere il suo piedone da scimmia dalla mia drizza acciocché io possa issare la vela?

– Prego, gentiluomo Guinea, che il demonio la affoghi per la sua cortesia.

– Vuole per favore il molto figlio di puttana gentiluomo Macaulay smettere di sputare controvento la sua fetente saliva tabaccosa, di modo che la mia divisa non ne venga insozzata? Poiché, se non smetterà, la mia egregia mano potrebbe tosto lisciarle la dentatura...

– Nel qual caso nobiluomo, niente mi impedirebbe di provare la durezza di questo splendido bugliolo sulla sua eccellentissima testa di bastardo.

Così la Fidèle lasciò il porto verso l'avventura. Non eravamo ancora usciti dal golfo che da sottocoperta uscì un uomo con grandi occhi sporgenti, vestito di nero. Molto cortesemente si presentò a tutti noi, uno per uno. Disse di chiamarsi professor Gwiskard, di essere lo scienziato consulente per il viaggio e di soffrire maledettamente il mar di mare. Per gli occhi sporgenti e il colore verde fu subito soprannominato "il Geco". E con quest'ultima sorpresa prendemmo il largo mentre Charlemont, a poppa, prendeva il tè.

– Mah! – sospirò il filosofo di bordo, Huysmans l'olandese – aspettiamo a disperarci. Non sembra, ma magari è un buon capitano.

Huysmans si illudeva. Dopo pochi giorni di navigazione noi marinai ci chiedevamo chi mai avesse insegnato al capitano Charlemont a portare una nave. Sembrava che avesse paura di consumarla. Navigava solo con un vento a tre-quattro nodi, con mezza velatura. Appena si alzava un bel vento per far finalmente correre la cavallina, portava la Fidèle al riparo in qualche rada e aspettava che il vento calasse. Così per arrivare dal golfo di Guinea alle isole Bijagos ci mettemmo il doppio del necessario. Ma al capitano non sembrava importasse: le sue uniche preoccupazioni erano la nostra divisa, gli ottoni della goletta e i cerimoniali di alzabandiera. Per calcolare la rotta, lui e i suoi ufficiali colibrì impiegavano intere mattine mentre noi lo facevamo subito a occhio, tanto navigavamo vicini a terra. Il cibo era decente, i turni comodi, ma si rischiava sempre di essere puniti per una bestemmia o un colletto fuori posto. Un marinaio greco si prese venti colpi di frusta perché era stato sorpreso a stendere le calze su una sartia.

In luglio arrivammo alle isole Cabo Roto. Il capitano Charlemont attraccò a Hugue Bay con una manovra che un mozzo avrebbe eseguito con più perizia. Ma la sua discesa in alta uniforme, con i colibrì al fianco e Buckingham che reggeva l'ombrello, restò nelle leggende locali per anni.

L'isola era abitata dalla tribù dei Cabu, il cui capo era Mahu Cabu, un mio vecchio amico. Conoscendo io la lingua Cabu contrattammo con lui per portare via piante rare. Insieme al Geco mi recai nella giungla e ci trovammo in mezzo a un vero paradiso naturale. Il Geco mi diceva il nome latino delle piante, e io gli raccontavo le leggende che avevo udito. Gli raccontai che l'ourogoro è una pianta carnivora, ma mangia solo gli animali malati. Per sapere come stanno di salute, gli indigeni passano davanti alla pianta e avvicinano una mano. Se l'ourogoro l'azzanna, è un brutto segno. Gli dissi che la pianta del pane dà un solo frutto all'anno, ma così buono e delicato che gli uccelli fanno la fila anche un mese per beccarselo. E che l'hawazawai, tritato e bevuto con la luna piena, trasforma l'uomo in calabrone. E il wama contiene un afrodisiaco così forte che un solo petalo, sfiorando la fronte di una donna, la trasforma in una furia di piacere.

Raccogliemmo con cura le piante in grandi vasi e la sera ci fu un pranzo in nostro onore sotto la tenda del capo Mahu. Noi mangiavamo a quattro palmenti.

Il capitano Charlemont invece, tutto schifiltoso, assaggiava appena il cibo, e non sembrava per nulla riconoscente di quella ospitalità. Il capo Mahu Cabu mi disse di chiedere al capitano dove sarebbero finite quelle piante, in quale isola e in quale giardino. Quando il capitano rispose che sarebbero state chiuse in una gabbia di vetro, il capo Mahu fu contrariato e disse che voleva sciogliere il contratto.

– Di' al tuo selvaggio – rispose il capitano – che quello

che abbiamo finora chiesto con cortesia lo possiamo chiedere con i fucili.

Naturalmente non tradussi le sue parole sprezzanti, ma dissi a Mahu che le piante sarebbero state trattate con ogni cura e sarebbero state portate ai bambini della nostra isola, che non avevano mai visto niente di simile.

Il capo Mahu scosse dubbioso la testa. Poi volle sapere se il capitano credeva che le cose avessero un'anima.

Il capitano ridendo spiegò che nel suo paese solo gli uomini avevano un'anima, e forse non tutti.

Allora il capo Mahu chiese come faceva il capitano Charlemont a viaggiare sul mare se non credeva che il mare avesse un'anima.

Il capitano sembrò piuttosto adirato e non rispose.

– Il mare ha un'anima che si chiama Matu-Maloa, e lei la conoscerà – disse il capo Mahu.

– Non voglio perdere altro tempo con questi selvaggi – disse il capitano, e molto scortesemente si alzò.

Tornammo alla nave. Durante il tragitto in scialuppa sentii il Geco criticare con fermezza il capitano e quello rispondere irosamente:

– Di una cosa sono sicuro. Tra la cultura di un gentiluomo inglese e queste stupide leggende non c'è alcun rapporto possibile. L'unica cosa che ci unisce a questo mare è la ricchezza che possiamo ricavarne per la maggior gloria dell'Inghilterra.

La navigazione proseguiva lentamente, e il capitano diventava sempre più insopportabile. Le sue fissazioni peggioravano. Lucidava lui stesso ogni notte gli ottoni del ponte. Non appena vedeva una cresta di spuma si metteva a brontolare: – Che mare impossibile, che tempo infame – come se le onde dovessero andare a tempo di mazurca per far ballare la sua Fidèle. Prese a punirci con ogni pretesto, un bottone fuori posto o una manovra eseguita, come lui diceva, "in modo sgraziato".

Io ero stato richiesto come aiutante dal Geco, e stavo spesso sottocoperta, nella giungla umida nascosta nel cuore della nave. Cercavamo di curare le piante, alcune delle quali già guastate dal viaggio. Anche il Geco conveniva che il capitano era ormai "un caso clinico". Passava ore e ore a giocare a scacchi con i Colibrì, e non appena il rollìo della nave gli ribaltava un pezzo, piombava sul ponte e se la prendeva col timoniere. Viaggiavamo ormai solo nella mezza bonaccia, con i nostri colletti ridicolmente inamidati nel caldo tropicale. Una sera, mentre avanzavamo lentissimi sul mare infuocato, Buck disse che non ce la faceva più dalla noia: prese l'ukulele e si mise a cantare "Il mezzo marinaio".

Mi mangiarono una gamba i cannibali delle Hawai
e un braccio se l'è preso un pescecane di Shanghai
la corda dell'arpione l'altra gamba s'è fregata
e un occhio me l'ha tolto una carogna di pirata.
Mary Mary stavolta ritorno davvero
mi manca qualche pezzo ma il cuore è tutto intero
sarò il tuo maritino, sarai la mia sposina
e mi terrai sul petto dentro una scatolina.

Un piranha brasiliano mi portò via un coglione
e un altro mi è rimasto nel mare del Giappone
i denti li ho perduti, capelli non ne ho
la pulce di mare le orecchie mi rosicchiò.
Mary Mary stavolta ritorno davvero
mi manca qualche pezzo ma il cuore è tutto intero
sarò il tuo maritino...

Il ritornello fu interrotto dall'arrivo del capitano Charlemont livido di rabbia. Eravamo impazziti a cantare quella robaccia sulla Fidèle? Doveva una nave inglese far da palcoscenico a queste sconcezze? Prese l'ukulele e lo spaccò sulla murata. Gridò che ne aveva abbastanza della nostra indisciplina e che avrebbe fatto cantare la frusta al nostro posto. Stava lì minaccioso, a gambe larghe, quando la barca ebbe un sobbalzo improvviso, come se avesse toccato un banco di sabbia. Il capitano finì disteso per terra, e dato che il ponte era stato appena insaponato, si fece mezza nave scivolando come una foca sul ghiaccio.

Nessuno riuscì a non ridere, e alla nostra risata si accompagnò anche uno strano, acutissimo rumore.

Il capitano si alzò furibondo e ordinò di mettere Buckingham ai ferri per tre giorni. Cercò di riprendere la dignità del comando urlando:

– Controllate con lo scandaglio... ci deve essere un banco di sabbia.

– Nessun banco – rise Buckingham mentre lo portavano via – è Matu-Maloa, comandante.

– Portate via quel maledetto negro – disse il capitano. Buttammo lo scandaglio. C'erano seicento piedi di fondale. Qualsiasi cosa la nave avesse urtato, non era certo un banco.

Quella notte ero di guardia. La luna illuminava il mare per miglia e miglia. Era una notte in cui, come usava dire Buckingham, "anche le fidanzate brutte diventano belle". Me ne stavo a parlare col Geco; nel silenzio del mare si udiva soltanto una nenia voodoo che Buck cantava dalla sua cella.

Con nostra sorpresa vedemmo il capitano Charlemont salire in coperta. Forse non riusciva a dormire per il caldo. Era senza uniforme, con la camicia aperta sul petto e la chioma bionda bagnata di sudore. Certo non lo avrebbero ritratto così nella galleria di famiglia, ma più di una fanciulla inglese, vedendolo, avrebbe sospirato.

Il capitano restò a lungo assorto, guardando il mare, mentre la bonaccia avvolgeva il cuore e l'anima in una palude calda.

Erano le due. Mezzo miglio a babordo vedemmo qualcosa di strano. Il mare era increspato, come se qualcosa di terribile lo avesse spaventato.

– Vedi tu quello che vedo io? – chiesi a Huysmans.

– Lo vedo – disse l'olandese.

– Ehi, voi due – disse il capitano, sentendoci parlottare preoccupati – cosa vi succede?

– Credo, capitano – dissi io – di aver avvistato una balena.

– Ah – rise il capitano – bella razza di marinai! Non ci sono balene su questa rotta.

Per una volta aveva ragione lui. Non avevo mai incontrato una balena in quella zona. E ora il mare sembrava di nuovo tranquillo. Ma il mio istinto di arpionatore mi diceva che era una tranquillità solo apparente. E infatti il mare ribollì e si aprì e proprio davanti a noi spuntò la testa di Matu-Maloa. Era il più grosso capodoglio che avessi mai visto, almeno duecento piedi. Aveva la testa grigia e rossastra piena di tagli e protuberanze, una vera montagna tormentata, e la mandibola avrebbe potuto tagliare la nave in due come una forbice.

L'occhio piccolo, a pelo dell'acqua, scrutò un attimo la nave, mentre noi stavamo col fiato sospeso. Poi Matu-Maloa si girò su un fianco e, ci crediate o no, fissò lo sguardo sul capitano Charlemont. E dopo un attimo, *gli fece l'occhiolino*!

Il capitano guardava terrorizzato alternativamente noi e la balena. Era chiaro che non aveva la minima idea di cosa si dovesse fare, e vedendoci immobili, stava immobile anche lui. Matu-Maloa lo guardò ancora, poi diede un leggero colpo di coda e *chiamò* il capitano. Un suono melodioso, come un violino sottomarino. Avevo spesso sentito parlare della voce delle balene, ma era la prima volta che la sentivo.

– Cosa sta succedendo, marinai? – disse il capitano Charlemont, indietreggiando verso il centro della nave.

Matu-Maloa ruotò in aria la coda e si inabissò, poi risalì in tutta la sua mole e fece una virata elegantissima, spruzzando appena con un getto d'acqua la nave. Poi si mise a remare con la coda e uscì col corpo fuori dall'acqua, come un delfino. Sembrava uno scoglio altissimo, tutto pieno di alghe e incrostazioni, con i segni degli arpioni sui fianchi. A quella vista il capitano corse a rintanarsi in cabina. Matu-Maloa cessò subito le sue evoluzioni e scomparve.

Poco dopo il capitano ci convocò. Era visibilmente nervoso e tormentava il suo spadino di narvalo. La sua divisa era alquanto in disordine.

– Guinea, Huysmans – disse – mi potete spiegare il comportamento di quella balena? Voleva forse attaccarci?

– Sicuramente no – disse Huysmans, lanciandomi un'occhiata d'intesa.

– Quindi voleva... giocare.

– In un certo senso.

– In quale senso...?

– Beh... se devo proprio dirlo signore... la balena era in amore.

Il capitano Charlemont annichilì.

– Vuole dire che...

– Sicuramente... conosco il canto d'amore delle balene, e anche quelle loro evoluzioni... fanno così quando sono innamorate.

– Volete dire... che è innamorata della nostra nave?

Io e Huysmans esitammo perplessi.

– È più o meno così... – disse alla fine Huysmans.

Seguì un lungo silenzio. Poi il capitano disse con un filo di voce:

– Marinaio Guinea... quella balena è un maschio o una femmina?

– Non lo so, signore – risposi.

Il giorno dopo sulla Fidèle la notizia che una balena si era innamorata del capitano Charlemont si diffuse, se mi è consentito un facile gioco di parole, in un baleno. Qualcuno rideva, qualcuno sembrava preoccupato: chi conosce le intenzioni di una balena innamorata? Tutti erano però d'accordo su un punto: Matu-Maloa sarebbe certamente riapparso. Il che avvenne verso sera.

Il capitano, nervosissimo, era venuto in coperta e lanciava ordini in tutte le direzioni. Era pallido, sembrava non aver chiuso occhio. Proprio mentre gridava qualcosa sulla posizione delle vedette, ecco a poppa apparire il Capodoglio.

Aveva sulla testa un gran pennacchio di alghe verdi. Ci guardò con l'occhietto furbo e cominciò a emettere suoni striduli, muovendo qua e là il capoccione. Faceva il verso al capitano!

Se Charlemont si muoveva verso prua strillando, lui faceva altrettanto. Se andava a poppa incespicando nel cordame, anche la balena faceva finta di inciampare nel mare e comicamente strillava e si rivoltava sulla pancia scuotendo il suo pennacchio di alghe.

Finché il capitano Charlemont esasperato si fermò ansante e gridò:

– Maledetta bestia... cosa vuoi da me?

Per tutta risposta Matu-Maloa lo spruzzò con il suo soffione e si mise a strillare divertito.

Allora il capitano ebbe uno scatto d'ira, sfilò un rampone da una scialuppa e lo tirò contro la balena. Naturalmente non intaccò neanche la sua pellaccia. Ma Matu-Maloa sembrò molto turbata da quel gesto. Si allontanò a grandi salti, poi si girò prese la rincorsa e puntò dritto contro la nave. Urlammo di terrore e già qualcuno metteva mano alle scialuppe. Ma a pochi metri dalla Fidèle, la balena si inabissò e sentimmo la sua schiena ruvida grattare la chiglia. Quando uscì dall'altra parte lanciò un lamento acutissimo, da innamorato offeso, e scomparve.

Quella sera un gruppo di noi marinai tenne un conciliabolo in cambusa. Buckingham diceva che eravamo in pericolo: la balena non avrebbe sopportato di essere respinta. Huysmans diceva che capiva le ragioni della balena, ma anche quelle del capitano: cosa avrebbe dovuto fare? Invitarla a cena? Io dissi che mai nella mia vita di baleniere avevo visto una cosa simile, e quindi l'unica cosa da fare era aspettare.

Quella notte, la balena tornò. Sentimmo tutti la sua serenata al capitano, e le urla del capitano prima adirate e poi supplichevoli.

Tornò tutte le notti, continuando a seguire la nave sulla rotta verso le Hujangos.

Finché una sera ci fermammo in una rada per fare il pieno d'acqua dolce. Non c'erano più di venti piedi di fondo, ma la balena arrivò ugualmente. Il suo muso era quasi appoggiato alla nave. Cantò fino alle tre, finché il capitano non uscì dalla cabina. Ero di guardia e potei sentire tutto ciò che disse.

– Matu-Maloa – diceva sottovoce Charlemont – cerca di capire la mia situazione: io faccio parte di una antica e onorata famiglia inglese. I maschi della mia famiglia hanno sempre ed esclusivamente sposato donne con almeno un quarto di discendenza reale. Come pensi che potrei dare l'annuncio che mi sono fidanzato con una balena? Lo so che tu sei la regina del mare. Ma i nostri mondi sono diversi. Io non respiro sott'acqua. E tu ti annoieresti al cricket. Ti prego, lasciami in pace. Pensa che scandalo se tutto questo venisse risaputo a Londra...

Matu-Maloa ascoltò e modulò un nuovo richiamo d'amore per il suo capitano.

– E poi, insomma, non so neanche se sei un maschio o una femmina. Tra noi una relazione è impossibile. E come ultima cosa: io sono fidanzato.

A quelle parole Matu-Maloa smise di cantare. Girò l'immensa testa sott'acqua, si avvitò e sparì. Non la vedemmo più.

Come il diavolo volle eravamo ormai a pochi giorni di navigazione dalla meta. Il capitano Charlemont non era più uscito da sotto coperta e aveva lasciato il comando a Huysmans. La Fidèle aveva viaggiato spedita e noi dell'equipaggio già fantasticavamo su come avremmo speso nel modo più rapido e inutile le trecento ghinee.

Quando ormai le coste inglesi erano in vista il capitano mi mandò a chiamare. Era nella serra delle piante, su una sedia di vimini, in mezzo a quella giungla umida, densa di vapori velenosi e di insetti. Nessuno avrebbe riconosciuto in lui il perfetto nobiluomo inglese salpato dal porto di Cape

Heat. Aveva la barba lunga, i capelli arruffati e al posto della divisa una giacca da camera stazzonata. Puzzava di rhum.

– Marinaio Guinea – mi disse – ho un patto da proporti. Dovete giurare solennemente, tu e gli altri marinai, che non una parola su ciò che avete visto verrà pronunciata a terra. Sono pronto ad aggiungere altre cento ghinee alla paga. Ma devi convincere gli altri a non lasciarsi sfuggire neanche un accenno alla balena.

– Credo, signor capitano – dissi – che cento ghinee siano un argomento che chiuderà la bocca a tutti come colla di pesce.

– Quindi – disse Charlemont alzandosi vacillante – non è esistita nessuna balena o capodoglio dalla voce melodiosa. È stato un delirio causato dal caldo e dalla notte tropicale. Vado a riprendere il mio posto nella buona società del mio paese.

Era un'impressione o pronunciando le parole "buona società" si avvertiva nella voce del capitano un leggero disgusto?

La sera del nostro arrivo al porto di Londra, la compagnia Smithson aveva fatto le cose in grande. C'erano il presidente e il vicepresidente, il ministro dell'agricoltura e tutta la facoltà di botanica e zoologia dell'Università. E c'erano le loro signore, uno svolazzare di sottane bianche e rosa come meduse, e un frullar di ombrellini. Nell'attesa della Fidèle, per la verità, si era verificato uno strano episodio. Dal mare era spuntato un uomo completamente vestito, con una gardenia all'occhiello. Si era arrampicato sul molo, aveva rifiutato ogni aiuto e si era allontanato di corsa, come se temesse un pericolo imminente. Ma il clima di festa fu subito ristabilito dalla banda che suonava "Thanks for the Beautiful Roses". Un plotone di guardie scelte si squagliava marzialmente sotto il sole. Tra i presenti il padre e la madre del capitano Charlemont nonché la sua fidanzata, lady Ashley-Compcott, marchesina di Sunbury, in completo albicocca, il volto incorniciato da nobili orecchie da lepre.

Gli ottoni suonarono più forte facendo vibrare le assi del molo quando la Fidèle con perfetta manovra (non comandava Charlemont) virò dentro il canale e iniziò ad accostare. I piccoli binocoli di madreperla passavano da un polsino inamidato a una manina ingioiellata. E presto fu visibile a prua il capitano Charlemont, col bel volto che il mare non aveva minimamente scalfito: pallido era partito e pallido ritornava. Il cuore dei suoi genitori vibrò di orgoglio e anche quello della fidanzata, malgrado ciò fosse alquanto plebeo, diede piccoli segni di accelerazione. E tutti noi, schierati in divisa, ci sentivamo per un giorno parte della parte migliore del paese, della sua storia e della sua botanica.

La Fidèle ancorò vicino al molo e calammo le scialuppe. Sulla prima salì il capitano insieme a me e Buckingham che reggevamo un meraviglioso esemplare di palma con la bandiera inglese. Il capitano fu il primo a salire la scaletta del molo e a stringere la mano al ministro. Subito dopo vide lady Ashley-Compcott e dimenticando per un attimo la consuetudine, invece di baciarle la mano la abbracciò. Mentre i due giovani stavano stretti sotto l'occhio benevolo delle nobili famiglie, la banda intonò "Together". Ma suonava in modo stonato e sgradevole.

– Cos'è questo strazio! – urlò il conte padre Charlemont – che cosa vi succede?

– Chiediamo scusa – disse il direttore – ma non riusciamo a suonare. C'è una voce sgraziata che si è unita a noi. E poi il molo dondola troppo...

Era vero. Il molo stava cigolando paurosamente. Ed era chiaramente udibile una voce sgraziata, non umana, che faceva il verso alle note di "Together".

– È lui – gridò Buckingham – è arrivato fin qui!

Proprio in quel momento un gran colpo di coda di Matu-Maloa colpì un pilone del molo che si inclinò paurosamente, e la balena, folle di gelosia, si lanciò a testa bassa contro gli altri piloni. Volarono schegge di assi e ombrellini. Lanciando urla di sgomento, tutti cercarono scampo, chi fuggendo verso terra, chi lanciandosi in acqua. Il molo stava cedendo pezzo per pezzo e Matu-Maloa continuava a prenderlo a testate, senza che le fucilate delle guardie riuscissero neppure a scalfirlo. Finirono in acqua marchesi, botanici e suonatori di oboe. Finché il capodoglio arrivò all'ultimo pezzo di molo rimasto in piedi, dove stava il capitano Charlemont stretto alla fidanzata.

– Scappa – gridò il capitano, spingendo lady Ashley lontano da sé. Subito dopo precipitò (alcuni dicono si tuffò) sulla schiena del mostro, che senza inabissarsi nuotò via a tutta forza. Quando sparì all'orizzonte il capitano sembrava un uccellino sulla schiena di un elefante.

La storia potrebbe finire qui. Inutile dire che lo scandalo fu grande, perché non è cosa di tutti i giorni che una balena rapisca, consenziente o non consenziente, un rampollo della nobiltà inglese. Dopo due mesi il capitano Charlemont fu dichiarato defunto a tutti gli effetti, e sulla sua tomba di famiglia, a Glenmore, sta scritto:

IL SUO NOBILE CUORE RAPÌ
LA FURIA DEL LEVIATANO

Se è così, amen. Ma io preferisco credere a un mio amico antillano, che di ritorno da un viaggio mi raccontò che in un'isola delle Célèbes gli indigeni adorano una strana divinità, che chiamano Charmaloa. E mi mostrò una statuetta. È la statuetta di una balena che ha sul dorso una figurina più piccola, con un cappellino con una penna verde.

IL DITTATORE E IL BIANCO VISITATORE

Beati coloro che hanno fame e sete di giusti-
zia perché saranno giustiziati.

(PIERGIORGIO BELLOCCHIO)

C'era un dittatore che aveva incarcerato, torturato e ammazzato uomini e donne del suo Paese. Un giorno gli venne
annunciata la visita del Capo degli Uomini Buoni.

Poiché questo Capo era molto potente, viaggiava per il
mondo e ovunque andasse la gente accorreva a vederlo, il
dittatore dovette prepararsi a riceverlo nel modo migliore.

Ammazzò tutti i torturati perché non si dicesse che c'era
la tortura, tutte le mamme dei desaparecidos perché non di-
cessero che i figli erano desaparecidos, tutti i prigionieri perché non si dicesse che le prigioni erano piene, e riempì la città di striscioni di benvenuto.

Ma la notte prima della visita non dormì: sapeva che il
Capo degli Uomini Buoni conosceva il bene e il male ed era
venuto per rimproverarlo: gli avrebbe detto delle cose terribili davanti a tutti smascherando i suoi delitti.

Così la mattina all'aeroporto era molto nervoso. Invece
della solita divisa con draghi e pugnali, si era messo un completo grigio con la cravatta, e al posto dei gorilla generali aveva una scorta di suorine. Ogni suorina teneva in braccio un
bambino, di cui il Capo degli Uomini Buoni era ghiotto.

Il Visitatore scese tutto vestito di bianco da un aereo

bianco, baciò la terra e i bambini, salutò il dittatore e insieme percorsero i viali della città tra gli applausi della gente, anche perché chi non applaudiva veniva bastonato.

Quando furono nell'appartamento del dittatore il Capo degli Uomini Buoni chiuse a chiave la porta e disse:

– Adesso io e lei facciamo due chiacchiere.

Il dittatore tremò. Era venuto per lui il momento della verità. Stava per buttarsi in ginocchio e chiedere perdono, quando il Bianco Visitatore disse:

– Mi piace questo paese, è tranquillo.

– Sì, non c'è male – disse il dittatore.

– Si vede che la gente ci sta bene...

– Abbastanza... magari qualcuno si lamenta, ma...

– Anche nel mio paese – disse il Capo degli Uomini Buoni – c'è sempre qualcuno che si lamenta.

– E poi, per la verità, qualche volta... ho dovuto...

– Dovuto cosa?

– Ho dovuto... intervenire.

– La capisco.

A quelle parole il dittatore si buttò in ginocchio. Com'era buono il capo degli Uomini Buoni! Che grande lezione gli dava! Non con anatemi e ingiurie, ma con la forza dell'indulgenza e del perdono. Indicandogli la via...

Oh sì! Anche lui sarebbe stato buono e comprensivo come il Capo degli Uomini Buoni! Gli baciò la mano, l'anello, la manica e disse:

– Non arresterò più nessuno, indirò libere elezioni, proibirò la tortura, licenzierò gli squadroni della morte... ho capito la Sua lezione.

Il Capo degli Uomini Buoni ritirò di colpo la mano.

– Lei è pazzo – disse – guai a lei se ci prova!

Il dittatore trasecolò.

Quando il Bianco Visitatore partì, il dittatore ricominciò a imprigionare e torturare e ammazzare, ma non ci provava più lo stesso gusto.

– È vero – pensava – ci sono degli incontri che cambiano la vita.

ACHILLE ED ETTORE

Tanto fa l'uomo che alla fine sparisce.

(RAYMOND QUENEAU)

Anch'io sono di Sompazzo e vorrei raccontare una storia delle nostre parti. È la storia di due amici che si chiamavano Achille ed Ettore. Achille costruiva i camini e non ce n'era un altro come lui al mondo. I suoi camini tiravano l'aria così bene che non bisognava lasciarci vicini i bambini, se no volavan via per la cappa come tortorine. Ettore faceva il fornaio e il suo pane era tanto buono che il medico del paese lo prescriveva come medicina. Due rosette alla mattina e due alla sera con poca acqua.

Achille ed Ettore, amici e colleghi nel ramo riscaldamento, stavano sempre insieme, pescavano insieme e facevano lunghe camminate in montagna a castagne e funghi.

Un giorno stavano sdraiati sotto un albero. Era una bella giornata limpida, senza una nube.

E Achille disse: – Lo sai che a Coppi ci batte quarantotto volte il cuore in un minuto?

Ed Ettore chiese: – È molto?

– Una persona normale come me e te – disse Achille – di grazia se ci batte una o due volte al minuto. A lui, quarantotto volte. Che fisico!

– Senti – chiedeva l'Ettore – e i polmoni? Come ce li ha i polmoni?

– Ce li ha – rispondeva Achille – che quando lui respira, tutti quelli vicino svengono, perché lui si prende tutta l'aria intorno e non ne lascia più agli altri.

– E la bicicletta? – chiedeva l'Ettore – raccontami ancora come ha la bicicletta...

– C'ha una bicicletta – diceva Achille – chè pesa come un pulcino. Ha le ruote di seta ed è così leggera che ne puoi tenere sei o sette in braccio mentre pedali, e scegliere quella da salita, quella da discesa, da ghiaia, da pavé, da cronometro e anche quella da giro d'onore con le bandiere. E sai cosa fa Coppi mentre corre?

– Cosa fa?

– Muove le orecchie. Quando va in discesa le apre, e le ha così grosse e forti che frena con quelle. Quando è in volata le chiude e diventa aerodinamico. Quando vince le tira in su, quando è triste le tiene giù.

– Come la lepre?

– Più della lepre. Coppi va più forte della lepre. Magari i primi cinquanta metri la lepre gli va via sullo scatto, ma poi Coppi la riprende e la stacca.

E i due amici stavano a occhi chiusi a sognare. Cosa avrebbero dato per una bicicletta da corsa! Ed erano assorti in questi pensieri, quando sentirono un rumore nel bosco.

– Un capriolo – disse Achille.

– Una volpe – disse Ettore.

Invece era una bicicletta da corsa senza cavaliere che veniva giù tra albero e albero, sbattendo il manubrio nei tronchi, impennandosi sulle gobbe, facendo salti e capriole e continuando a scendere a tutta velocità. Fu un attimo: appena la bicicletta imbizzarrita gli passò vicino, Achille ci saltò sopra. Ma per quanto cercasse di fermarla quella continuava a correre verso il burrone.

– Aiuto – urlò Achille, e mentre precipitava riuscì con un braccio ad attaccarsi a una pianta di ginestra. Restò così sospeso nel vuoto con la bicicletta tenuta coi piedi, e accidenti se la mollava.

Arrivò Ettore e con la forza che gli veniva dall'aver impastato per trent'anni, lo tirò su.

Si abbracciarono felici per lo scampato pericolo.

– Grazie – disse Achille – hai salvato la mia vita e la mia bicicletta.

– Vorrai dire la mia bicicletta – disse Ettore.

Addio amicizia! La sera stessa i due corsero da nonno Celso, il vecchio del paese ed esposero le loro ragioni.

– La bicicletta è mia – disse Achille – perché l'ho catturata e l'ho tenuta a rischio della vita.

– Sì – obiettò Ettore – ma se non era per me eri morto e i morti non vanno in bicicletta.

Nonno Celso ci pensò a lungo, sei bicchieri almeno.

Poi con ampio gesto da sibilla spalancò le braccia e disse:

– Strigàtevela.

Era un'antica formula orfica dialettale che voleva dire: io me ne lavo le mani.

Toccò al sindaco decidere: e il sindaco stabilì che solo un duello poteva risolvere la questione. Perciò riunì i due litiganti e disse:

– Ad Achille che è il più anziano, la scelta delle armi.

– Insulti – disse Achille.

– Insulti?

– Insulti, e se è patta a fiatate, e se è ancora patta a vino e salcicce.

– Ci sto – disse Ettore – non ho paura di te, ladro di biciclette.

– Non vale. Mi insulta prima di cominciare.

– Era una citazione colta da cinefilo...

– Cinefilo sarai tu – gridò Achille. E dovettero separarli perché già si menavano.

Alla sera tutto il paese era in piazza, attorno ai due seduti uno di fronte all'altro. Ettore si mise le mani sui fianchi e per primo cantò:

– *Achille Lanzarini*
fa tirar tutti i camini
ma Lanzarini Agnese
fa tirar tutto il paese.

Achille barcollò sulla sedia. Era un terribile versinsulto che faceva preciso riferimento alla sua bella e vivace sposa. Ma si riprese subito e intonò a sua volta:

– *Ettore Baldi*
tutte le notti fa i cornetti caldi
lui ne fa cento
e altri due glieli fa Fiorenzo.

Il fornaio diventò bianco come farina. L'insulto riguardava una vecchia tresca di cui erano sospettati sua moglie e il postino Fiorenzo. Ma non si perse d'animo. Salì sulla sedia e declamò con voce tonante:

– Buono a niente scioperato che non sai distinguere una pera crassana da una spadona che mungi le galline che non sai cagar nell'erba che spari ai rondoni che la volpe ti ruba le bretelle che vai a funghi e prendi i satanassi e vai a pesce e prendi del freddo e i tuoi formaggi san di purga e il vino di piscio e c'hai più zecche del tuo cane più pidocchi di tua moglie più rogna del tuo gatto più bachi delle tue mele più croste del tuo porco.

Achille che era di famiglia di grandi tradizioni contadine, quasi stritolò i braccioli della sedia per questo insulto agricolo, ma prontamente replicò:

– Gran figlio della tua mamma che munge i cavalli e la dà in giro nei campi come il verderame e di tuo babbo che lo mette nel dietro delle anatre crude e cotte e di tutti i sissignore che fa tua sorella che non c'ha più neanche il tempo di parlare e di tuo fratello sparapippe e di tua nonna che se la gratta nelle pannocchie e di tuo nonno busone che s'è fatto più chierichetti di un cardinale e ha preso più scoli di tuo zio che si faceva tutte le vacche della stalla meno tua figlia che a quella ci pensavi tu i giorni pari e il somaro i dispari.

Ettore boccheggiò e sembrò sul punto di crollare, ma fieramente replicò:

– Carogna fetente di un fascistaccio più fascista di tutti i padroni fascisti della casa del fascio più fascista del peggio fascista che confronto a te Mussolini era un compagno che compagno a tresette ti ci vorrebbe Kappler e compagno a bocce il führer che sei più fascista di un prete fascista e più democristiano di un treno di suore e fascista più di tutte le esseesse passate di qua e di tutti i dittatori del Vanzenzuela e di tutti i preti che c'è a Roma e di tutti i padroni che c'è al mondo.

Achille quasi svenne per questo efferato insulto politico. Ma dopo un attimo, puntò il dito e disse tutto di un fiato:

– Fazazadecáz / pezedmérdacarágnadunpórz / tastaráz-zaadcazzarázazáztotpinedbógn / catvagnancáncher / catva-gnaunazidàant / sumarnázdunsumarnázstrazzabalimbalzéva-ferdalpépvaferdigrógnvetaturintalcúlvaferdibuchénstranzdun-sfighédundsgraziéatmuressteetotchicumpagnaté.

La gente restò allibita, incerta se applaudire o gridare per l'orrore: un insulto così lungo in dialetto e in apnea non si era sentito mai.

Ettore accese una sigaretta e poi disse:

– Hai mica detto qualcosa?

Il sindaco per impedire altri reati di strage al pudore dichiarò il pari e patta. La bicicletta – ordinò – verrà giocata a fiatate, una sola per parte e senza l'uso di additivi chimici o di ausili meccanici.

In tutta la valle fu decretato lo stato d'allarme.

Vennero inchiodati gli infissi e rinforzate le porte, i bambini vennero zavorrati con pesi e le donne incinte portate in cantina.

La mattina presto i due furono messi di fronte a una distanza di cinquanta metri nel prato più ampio della zona. Achille si era preparato mangiando quattro casse di porri e cipolle crude, un chilo e mezzo di gorgonzola e una ricotta andata a male. Ettore si era spazzolato venti agli e altrettanti peperoni, e bevuto una damigiana di vino andato in aceto. Il sindaco diede il segnale d'inizio e la gente si appiattì a terra.

Per primo fiatò Ettore.

L'evento fu registrato come scossa dell'ottavo grado Mercalli, e provocò crolli in abitazioni fino a sessanta chilometri di distanza. Tre elicotteri furono abbattuti, enormi quantità di uccelli divennero sordi e ciechi, e le comunicazioni furono interrotte in quanto la fiatata fece un filotto di tutti i pali elettrici. L'aria mefitica proseguì poi la sua corsa verso il mare scoperchiando una caserma di carabinieri, fece volare in aria duemila ombrelloni da spiaggia, provocò un'onda anomala che investì le coste della Dalmazia e, si dice, una corrente di porro giunse fino a Mosca sulla piazza Rossa, dove sei soldati del picchetto d'onore del Cremlino svennero misteriosamente.

Ebbene, quando tutto fu finito la sola cosa in piedi nella valle era Achille, piantato sulle gambe come un toro.

E Achille sparò a sua volta: si udì un rumore come se avessero tolto il tappo all'oceano, cominciarono a volare le chiome degli alberi e il tornado cipolloso rase al suolo i campi fino al fiume, dove tirò fuori dall'acqua tutti i pesci facendoli volare in squadrone, fenomeno poi studiato per anni dagli scienziati. La vibrazione provocò una frattura del terreno con conseguente fuoriuscita di gas caldi, che combinandosi con la cipolla provocarono incendi e friggioni in varie città e per finire la fiatata traforò le Alpi, spazzò le pianure europee e si spinse fino al mare di Norvegia, dove sessanta balene furono catapultate a riva.

Ebbene, al termine del cataclisma Ettore era ancora in piedi in mezzo al prato. E disse ad Achille:

– Hai mica detto qualcosa?

A questo punto il sindaco, dopo aver sospeso la gara per la salvezza del mondo occidentale, decise che restava ormai solo lo scontro a vino e salciccia. Vennero perciò portate in piazza tonnellate di salciccia e cisterne di vino, e la sfida ebbe inizio.

Ettore cominciò succhiandosi come uno spaghetto cinque metri di salciccia fresca. Achille, tirandoli in aria come noccioline, si mangiò al volo duecentododici salciccini all'aglio.

Per ogni metro di salciccia i due bevevano un bottiglione di vino.

Il dottore teneva il conto con un pallottoliere. La notte si passò alla salciccia cotta e Ettore ne mangiò sei gradelle e quattro prillarrosti, e poi disse: "Non ci sarebbe mica un pezzolino di pane da mangiarci insieme? Se no non mi passa la fame."

Achille allora fece una montagna di polenta alta come un uomo e in mezzo ci fece un buco, lo riempì di salciccia in umido, si mise il costumino da bagno, saltò dentro e quando riemerse non ce n'era più neanche per un bambino.

Allora Ettore si mise sdraiato e si fece fare una flebo di vino bianco e intanto beveva rosé. Achille a sua volta riuscì a bere un bottiglione dalla bocca e uno dal naso.

Invano cercammo di farli smettere. Era arrivata gente da tutta la montagna e si facevano scommesse. Il fumo della salciccia arrosto formò un tale nuvolone che arrivarono pompieri da tre paesi, e quando seppero di cosa si trattava si fermarono anche loro, riempirono le autobotti di vino e si misero a tirar getti in bocca ai contendenti: Achille e Ettore non ne lasciavano cadere per terra neanche una goccia.

E così venne l'aurora peplo di croco, l'intera montagna era riunita a Sompazzo e fu calcolato che con le salcicce mangiate si poteva fare tre volte la circonferenza della terra. E Achille si mangiò un salciccino di cinghiale e Ettore una salciccia di somarino. E Achille mezzo metro di piccante e Ettore mezzo metro di passita: dopodiché cominciarono a diminuire il ritmo e Achille mangiò mezza salciccia e Ettore mezza e Achille tre fettine e Ettore gli rispose una per una, ma si vedeva che erano allo stremo e avevano gli occhi iniettati di insaccato e le sopracciglia già un po' setolose, pisciavano direttamente vino e per bere un goccio ci mettevano un'ora.

Alla fine rimase una sola fettina di salciccia. Achille la tagliò in due, prese la sua metà e con due dita se la cacciò in gola. Ci fu un momento di panico, come quando si mette nella valigia l'ultima camicia, o ci sta o scoppia tutto. Si sentirono nelle viscere di Achille smottamenti e gorgoglii e cigolii sinistri, ma alla fine Achille riuscì a chiudere la bocca e mandò giù tutto con due dita di vino rosso. Non alzò le mani perché non ce la faceva, ma credeva proprio di avere vinto. Invece Ettore rantolando prese la sua mezza fetta e cercò di mettersela in gola. Non ci stava. Allora se la mise sulla lingua, legò la lingua a un elastico e lasciò andare di colpo. La fetta gli rimbalzò dentro un paio di minuti poi si fermò e Ettore tirò un gran singulto. Prese un bicchiere di bianco che aveva lì vicino, mandò giù un sorso e morì fulminato. Per errore aveva preso il bicchiere di cedrata della farmacista signora Gabriella, unica astemia del paese. Il suo fisico era abituato a ogni eccesso, ma quell'improvvisa novità gli fu fatale. Quando vide Ettore morto, Achille scoppiò in pianto, gli si buttò sopra, gli chiese perdono, una scena straziante, e urlava come un porcello sgozzato:

– Non la voglio più la bicicletta! Non la voglio! È tua, alzati e pedala, Ettore!

Così finì la grande sfida tra i due amici. E la bicicletta, direte voi? Il giorno dopo arrivarono i carabinieri. Dissero che la bicicletta apparteneva a un signore che la stava trasportando su un furgoncino quando in una curva era caduta e rotolata giù. Doveva quindi essere subito riconsegnata. Alle parole "subito riconsegnata" a tutte le finestre del paese comparve un uomo con uno schioppo e anche donne di una certa età e bambini armati e un brigadiere giura di aver visto una mucca con un bazooka sulla schiena. I carabinieri scapparono a velocità mai vista.

Se ora vai al cimitero di Sompazzo vedrai una tomba e sopra una bicicletta da corsa in ottimo stato. La lapide dice:

A ETTORE BALDI
GRANDE AMICO E CICLISTA
STRONCATO DA PREMATURA CEDRATA
I SUOI CARI E GLI AMICI POSERO
SALUTANDOLO IN PARADISO
OVE È SICURAMENTE ARRIVATO
PERCHÉ IN SALITA VA FORTISSIMO.

QUANDO SI AMA DAVVERO

> Ai tempi del fascismo
> non sapevo di vivere
> ai tempi del fascismo.
>
> (HANS MAGNUS ENZENSBERGER)

Ottobre 1976

Cara, la tua lettera mi ha fatto molto male. Soprattutto per via dell'accusa che mi fai, di essere un opportunista. Non credo proprio di meritarla. La mia intervista al famigerato leader extraparlamentare non era affatto "ambigua". Io penso che nel mio lavoro bisogna saper trovare i personaggi interessanti, e ti assicuro che lui lo è. Avrò, come dici tu, "caricato" certi particolari, come il fatto che portasse un mitra a tracolla e ci fossero due bellissime bionde in tuta mimetica al suo fianco. Ma ti assicuro che era armato e la sua donna non era niente male.

Quanto al nuovo direttore, che tu definisci "persona poco chiara", sono d'accordo con te. Se ci sono andato a colazione è perché ritengo che nel momento attuale non sia il caso di accentuare certe tensioni.

Sospetto, sospetto, sospetto! Ecco cos'è la tua vita. Solo perché ho buoni rapporti sia col leader sopracitato sia con il maggiore Z., ecco che subito ti metti a farneticare di legami ambigui. Lasciati andare, sii più tollerante! Quando l'altra sera volevo regalarti il poncho peruviano, sei stata crudele. È vero, non l'ho comprato in Perù; non sono mai stato in Perù e non ho mai conosciuto gli indios Paraguele, né mangiato il fungo sacro in compagnia del loro capo Mateus. Volevo solo rendermi interessante. Ma tu non perdoni niente. Sei altera e intransigente come le tue idee. Non lamentarti poi se ti perquisiscono la casa. Quanto ai tuoi articoli, ti ho già detto cosa ne penso: il tempo mostrerà chi ha ragione. Amare è anche saper aspettare. Come dice il poeta: "Da qualche parte mi sono fermato e ti aspetto." Ti allego una copia del mio libro "Lotta armata, perché?"

Con amore, tuo Giampiero

Ottobre 1983

Cara, ho ripensato alla tua telefonata e devo dirti che mi ha fatto molto male. Soprattutto la tua accusa di conformismo, che non credo proprio di meritare. La mia intervista al leader degli imprenditori non è affatto "benevola". Io penso che nel mio lavoro bisogna saper trovare i personaggi interessanti e ti assicuro che lui lo è. Avrò "inventato", come dici tu, alcuni particolari, come il fatto che l'intervista sia stata fatta tra due elicotteri in volo. D'accordo, eravamo su una seggiovia, e allora? Era armato, c'erano con lui due bionde bellissime, ma ricordandomi quello che mi avevi detto sette anni fa, non l'ho riferito.

Quanto al nuovo direttore, che tu definisci "persona equivoca", sono d'accordo con te. Se ci sono andato a pranzo è perché come capo redattore non posso non avere rapporti con lui. Quanto poi al mio non aderire allo sciopero, non significa come dici tu, "fare il gioco dei datori di lavoro". Io credo che in questo momento sia molto più controcorrente fare gli straordinari che scioperare. E non chiedermi "perché" con la solita aria indagatoria: sono cose che si sentono e basta.

Sospetto, sospetto, sospetto. Ecco cos'è la tua vita. Solo perché vedi un nome in un elenco cominci a delirare di logge e poteri occulti. Il colonnello Z. direbbe che sei una dietrista isterica. Ma lasciati andare, sii più donna! Quando l'altra sera ti volevo regalare l'anello di diamanti sei stata crudele. È vero, non l'ho comprato in Sudafrica, non sono mai stato in Sudafrica e quindi non posso dire, come ho detto, che là tutti i negri hanno auto di grossa cilindrata. Volevo conciliare le opposte posizioni. Ma tu sei altera e intransigente come le tue idee. Non puoi che prendertela con te stessa se hai perso il lavoro. Tra pochi anni i giochi saranno fatti. Ma io sarò lì, e sarà come se il tempo non fosse passato: amare è aspettare. Ti allego una copia del mio libro di interviste "Dieci uomini di successo".

Ciao, con amore Giampiero

Ottobre 1990

Cara, ho ricevuto il tuo biglietto e devo dirti che mi ha fatto molto male. Soprattutto la tua accusa di complicità che sono sicuro di non meritare. La mia intervista al generale Z. non è affatto "servile". Io penso che nel mio lavoro, eccetera, già lo sai. Forse avrò inventato alcuni particolari, come il fatto che l'intervista si sia svolta senza polizia intorno, mentre il generale giocava a bocce con alcuni bambini ridenti. In realtà il generale si divertiva a chi tirava più lontano le bombe a mano con la sua scorta, dieci poliziotti biondi col mitra a tracolla.

Quanto al nuovo direttore che tu definisci "persona ripugnante" ovviamente non sono d'accordo. Non sono cambiato da quando dirigo il giornale e non capisco perché parli così. Quanto al fatto che il generale Z. abbia una linea diretta con me non è come dici tu "fortemente sospetto". Da quando in qua telefonare è un reato?

Sospetto, sospetto, sospetto, ecco cos'è la tua vita. Appena ti hanno portata in quello stadio e ci hai trovato anche qualche tuo amico, hai subito cominciato a sputare veleno su di noi. Una normale operazione di controllo, ecco cos'era.

Ma lasciati andare, sii più donna! È vero, quando l'altra sera ti ho invitata a uscire per prendere un gelato, non ero solo. Il colonnello Battista ha in questo momento una grande simpatia per me e mi segue ovunque. Non potevo prevedere che ti avrebbe arrestato. Ma tu sei altera e intransigente come le tue idee. Non lamentarti se poi il processo andrà male. Tra qualche anno, secondo me non meno di venti, vedremo chi ha ragione. E allora io sarò lì, come se il tempo non fosse passato, perché amare è saper aspettare. Ti allego il libro del generale Z.: "Tattica e strategia dell'antiguerriglia da El Alamein ai nostri giorni", con dodici cartine. La prefazione è mia.

Ciao, con amore Giampiero.

IL MARZIANO INNAMORATO

> Ma gli innamorati, i veri innamorati inventano con gli occhi la loro verità.
>
> (MOLIÈRE)

Questa è la vera storia di Kraputnyk Armadillynk così come mi fu raccontata dalla sua viva voce.

Una mattina presto stavo pescando nel fiume di Sompazzo quando sentii alle mie spalle un fragore impressionante. Vidi gli alberi tremare e gli uccelli fuggire. Poi uno scoppio e più nulla. Attraversai l'argine e mi apparve una creatura singolare: un barilotto di metallo con un nasone da talpa e due braccini snodabili con catarifrangente. Stava prendendo a calci un disco volante e con voce irosa gridava più o meno così:

– Zukunnuk dastrunavi baghazzaz minkemullu mekkanikuz!

Vedendomi si inchinò e disse:

– Signore, mi dispiace assai di averla disturbata, ma se sarà tanto gentile da ascoltarmi, penso che potrà capirmi e darmi l'aiuto necessario.

Mi chiamo Kraputnyk Armadillynk e vengo dal pianeta Becoda. Il mio pianeta è a settecento anni luce dal vostro e la temperatura media è di cinquanta gradi all'ombra. È un pianeta rosolato e desolato. Ci si possono coltivare solo due cose: il Trond e il Quazz. Il Trond è un tubero tondo dal sapore insipido. Il Quazz è un tubero quadrato dello stesso sapore del Trond. Si potrebbe tranquillamente dire che sono la stessa cosa, ma per il morale di noi becodiani è meglio distinguerli. Così possiamo dire: "Cosa abbiamo stasera di buono per cena, Trond o Quazz?" e creare un po' di suspense.

Esistono tre modi di mangiare il Trond: e precisamente seduti, in piedi e sdraiati. Parimenti esistono tre modi di cucinare il Quazz: con sugo di Trond, con sugo di Quazz o con ripieno di Trond.

Avrà perciò capito che la vita sul nostro pianeta è assai dura. Non abbiamo altro che terra bruciata e campi di Trond e Quazz, rocce nere, montagne di lava e qualche Nerpero (vulcano) che sputa in aria lapilli bollenti. Non esistono animali, ad eccezione di un verme che si chiama Krokuplas ed è immangiabile, ma costituisce un'ottima esca per i pesci. Sfortunatamente su Becoda non esistono né acqua né pesci. Beviamo però ottime spremute di Trondquazz.

Sul nostro noioso pianeta l'unico divertimento è corteggiarsi. Gli abitanti di Becoda sono infatti incredibilmente belli. Almeno, così è scritto nel primo articolo della nostra Costituzione. Noi maschi, come vede, siamo formati da due piedi trond, un corpo quazz, e testa lievemente trondoide da cui sporge un tubo (che non è il naso!). Le femmine hanno piccoli piedi quazz, delizioso corpicino trondeggiante e testa alquanto bitrondica. La mia femmina si chiama Lukzenerper Graetzenerper Bikzunkenerper. Che vuole dire Lukz che nacque vicino al vulcano, figlia di Graetz che vive sul vulcano e di Bikz che cadde nel vulcano. Lukzeccetera è molto giovane, ha diciotto anni becodiani, che corrispondono circa a due telenovele terrestri. Io l'amo, e passeggiare con lei grunka nella grunka per i sentieri del pianeta è la mia unica gioia.

Ma avvenne che una notte, mentre eravamo soli nella mia quazzomobile e guardavamo le mille stelle dell'Universo, lei si strinse a me e cominciò a lazigàr. Che è la cosa più terribile che ti possa capitare su Becoda. Lazigàr è come il vostro piangere, ma noi piangiamo olio, prezioso olio lubrificante, per cui se uno lazìga troppo resta arrugginito, grippa e muore. Così io la consolavo e cercavo di rimetterle nel serbatoio tutto il lazigàto che potevo, ma lei continuava il suo lazighenzeinzein e io non sapevo più cosa fare.

"Lukzettina" le dissi "ti prego, parla. Non lazigare più, mi strazi! Cosa posso fare per te?"

"Oh Kraputnyk" rispose lei "tu sei buono come un trond (non era poi un gran complimento. Noi diciamo anche: carogna come un trond, perché abbiamo così poche cose per fare paragoni)... ma io vorrei una cosa impossibile... vorrei... vorrei..."

Nel vederla così disperata un lazigòne salì al mio ciglio.

"Parla cara, non esitare" dissi "farò qualsiasi cosa per te."

"Oh Kraputnyk" disse lei "in vita mia non ho mai ricevuto un regalo. E morirò senza che nessuno mi abbia fatto un regalo!"

Ma come, pensai, se le avevo appena regalato una collana di trond! Già, ma che regalo poteva essere un trond su quel pianeta maledetto dove non c'erano che trond e quazz e pietre a forma di trond e pezzi di quazz sempre tra i piedi! Un regalo è qualcosa che non ti aspetti. Cosa c'era su Becoda che potesse sorprendere una fanciulla? Fu in quel momento che guardai il cielo stellato e mi illuminai (dico davvero: quando noi abbiamo una grande idea si accende una luce rossa).

L'universo era abitato da molti mondi trond e grandi strutture quazz. Diceva la televisione (quella l'abbiamo anche noi, è obbligatoria) che questi mondi sono assolutamente uguali al nostro. Su Giove ci sono dei trond più grandi, su Venere ci sono dei quazz particolarmente belli, ma niente di più.

Ebbene, pensai, sarà così perché la televisione non mente quasi mai, ma voglio controllare di persona. Perché se esiste in qualche lontana parte dell'universo un vero regalo, qualcosa che non sia né trond né quazz da portare alla mia amante, ebbene io lo troverò. Ciò deciso, la sera stessa feci una provvista di filetti di trond in scatola e lanciai la mia astroquazzomobile nei corridoi stellari del Serpentone numero otto, quello che porta all'incrocio Zatopek e da lì al vostro sistema solare. Non so perché puntai subito sulla Terra. Forse per il colore, che mi sembrava bello, o per il modo in cui trondava nello spazio. Fatto sta che misi in azione il mio macrocanocchio e lo puntai su di voi.

Ahimè, la prima cosa che vidi mi scoraggiò. C'era un grande spazio di pelo verde e tutto intorno migliaia di persone che urlavano. In mezzo alcuni esseri vestiti di due colori diversi si disputavano con i piedi un piccolo trond. Qua sono messi anche peggio di noi, pensai: noi abbiamo solo i quazz e i trond, loro scarseggiano anche di trond. Infatti intorno a questo trond si scatenavano risse gigantesche, ognuno lo voleva per sé e la gente urlava come impazzita. Puntai il macrocanocchio in un altro punto e vidi una città fatta di quazz uno sopra l'altro. Nessun segno di vita. Forse, pensai, gli aborigeni del luogo non mangiano i quazz, ma sono i quazz che mangiano gli aborigeni. Infatti ne vedevo sparire a migliaia dentro a giganteschi quazz illuminati.

Avvilito e deluso ero già intenzionato a ripartire quando, oh meraviglia! vidi finalmente una cosa che non era né quazz né trond né pietra né lapillo, una meravigliosa nuova cosa. Atterrai e mi avvicinai. Era uno scatolone metallico, simile a un becodiano obeso, ricolmo di oggetti misteriosi fatti con materie, che poi seppi chiamarsi *carta plastica* e *latta*. Avevano diversi colori, e anche se in essi c'erano esempi di quazzismo e trondismo, la varietà era strabiliante. E che odori strani emettevano! Forti, penetranti, così diversi dall'odore becodiano, cenere e quazz lesso. Frugai un po' col mio braccetto e tirai su dallo scatolone un oggetto stupendo: un cilindro rosso rilucente. Era firmato con una scritta trondeggiante che attraverso il mio universibolario decifrai in coco-colo o colo-coco. Pensai che fosse opera di due artisti. Poi vidi un animale splendido, formato da un corpo tutto irsuto di pelo terminante in una lunga coda di legno, e delle stoffe preziose e candide con le scritte "supermercato Pam" e "Standa" e ancora oggetti oblunghi e trasparenti, meravigliosi sughi odorosi, bucce a spirale, carte fruscianti piene di gero-glifici. Ero lì con il portello spalancato a guardare tutta quel-la ricchezza, quando vidi la prima creatura terrestre. Stava frugando beata tra gli oggetti meravigliosi dello scatolone. Subito presi il dizionario turistico interstellare e scandii bene questa frase:

"Sku-ssi, lei uommo di terrah, po-tzo io komp-rarre uno dei kuesti suoi ztu-pehndi ogetti?" La creatura spalancò i bellissimi occhi gialli, mosse la coda e rispose:

"No komp-rarre, tutti pozzono prendherre, ma ora skampare via, poi ke venire uommini di spah-tzaturra."

Ed ecco la creatura che credevo un uommo balzare via spaventata all'arrivo di un essere rombante grande come venti becodiani, da cui discendono gli uommini, uno dei quali mi guarda e dice:

"Da quando in qua hanno messo questi nuovi bidoni?"

"Boh" dice l'altro, "comunque sembra vuoto." E mi prende per il naso (che non è il naso!) e mi scosta.

"Al lavoro" dice l'altro "buttiamo questa schifezza!" Prendono lo scatolone delle meraviglie e lo ribaltano nella bocca dell'essere grande. Poi ci saltano su e se ne vanno. Lì per lì ci resto male, poi penso: se buttano via questa splendi-da roba e la disprezzano, figuriamoci che altre cose meravi-gliose hanno, molto più preziose di queste. Pensando rin-cuorato alla mia cara Lukzenerper, mi lancio dietro a loro a tutta velocità sui trondopattini, finché arrivo in città e quasi fondo per lo stupore. Che varietà di forme e di colori! Che regali portentosi ovunque, immobili o semoventi, piccoli o grandi! Questo è il paradiso, mi dico, ma devo restare calmo e scegliere bene, non lasciarmi stordire dall'abbondanza. Anzitutto non voglio un regalo qualsiasi. Voglio un regalo che anche le femmine terrestri ritengano pregiato e impor-tante. Gli uommini li so già riconoscere, adesso devo trovare una femmina terrestre. Come sarà fatta? Entro prudente-mente in un locale con la scritta "bar tabacchi". Vedo subito una cosa che potrebbe essere una femmina, una cosa con molti nasi e un uommo che li tira su e giù, il che da noi vuole dire *gibolláin*, accoppiarsi. Ma poi sento che l'uommo la chiama "macchina del caffè". Non è lei. Eccola là, la vedo, la femmina. E, bellissima, tutta addobbata di luci colorate, lancia urla e gridolini mentre un uommo la tiene per i fianchi e la scuote tutta. Se non è gibolláin questo! Improvvisamente però le luci della femmina si spengono e l'uomo le dà un grande calcio e impreca. Come sono violenti dopo aver gibolainato! L'uomo mi passa davanti e lo sento dire:

"Quel flipper è un cesso, non si vince mai. E questo cos'è, un nuovo distributore automatico?" E mi tocca il naso (che non è il naso).

"Boh" fa l'uomo che maneggia la macchina del caffè "che ne so, l'avrà messo lì il padrone. Ehi, guarda lì fuori che femmina sta passando!"

Ci siamo! Guardo dove guardano i due uomini. Stanno passando due cose: una è una cosa gialla con la scritta taxi. L'altra è un uomo con più trond davanti, dei bei fili colorati in testa e gli occhi più vivaci. Mi metto a seguirla discretamente finché non incontra una simile a lei. Le dice:

"Lo vedi quel coso dietro di noi? Le pensano tutte ormai per fare pubblicità alle lavatrici." Che sia io il coso?

Poi la prima femmina si ferma ed esclama:

"Che auto! Cosa darei per averne una così!"

Quella che chiama auto è una quazzomobile che fa molto più fumo e rumore. Un po' ingombrante da regalare, ma se piace tanto... Le auto stanno tutte ferme in fila. Dentro uommini e femmine suonano una nota picchiando un tasto che sta al centro di un trond. Stanno ore e ore a suonare anche se sembrano stanchissimi. Ho capito: *l'auto* è uno strumento musicale!

Dopo un po' la femmina arriva in un posto con la scritta "parcheggio" e trova la sua auto con un foglietto giallo sul vetro. Sarà lo spartito per suonare, penso, invece la femmina si arrabbia, straccia il foglietto e urla:

"Ingorghi, traffico e adesso anche la multa! Piuttosto che andare ancora in auto la butto in un burrone! Bisognerebbe bruciarle tutte, le auto!" E se ne va, senza neanche suonare.

Ahi, ahi! Non è un gran regalo, allora.

Mi metto a seguire un'altra femmina e la vedo che incontra un uommo. Entrano in un mangiaquazz. Mi infilo dentro anch'io: ho imparato che se sto immobile nessuno dice niente, tutt'al più cercano di darmi da mangiare delle monete. Aguzzo bene le orkekkys e sento la femmina che dice:

"Caro, questo è il regalo più bello che potevi farmi... è splendido, non ho parole" e lo bacia.

Piano piano mi infilo sotto il loro tavolo. Guardo, e sapete che cosa ha in mano la femmina? Un astuccio nero con dentro una collana di quazz, quelle pietrine trasparenti che a Becoda troviamo a migliaia nella cenere. Bel regalo davvero!

Deluso, decido di farmi ispirare dalla televisione, perché anche qui come a Becoda dovrebbe dire quasi la verità. Analizzo tre ore di telegiornali terrestri col mio computer analogico-galattico e il risultato è che il regalo che tutti vogliono, di cui tutti parlano e che tutti ritengono indispensabile e auspicabile è: "*fatti*".

Entro perciò in un negozietto con la scritta: "Abbiamo tutto" e senza esitare dico:

"Mi dia subito due fatti, uno per me e uno per la mia fidanzata. E mi raccomando: fatti, non parole."

L'uommo mi guarda torvo e dice:

"Guardi, io non so se lei è un robot o un nano pagato da qualche partito politico, ma le dico che ne ho piene le palle di propaganda elettorale."

"Un momento, ripeta" cerco di dire, ma altri uommini entrano nella discussione e alzano la voce, e poco dopo cominciano a litigare e a tirarsi dei quazz in testa. Mi allontano proprio stufo. Cammina cammina, esco dalla città e arrivo da queste parti.

Penso di caricare sulla astromobile uno di quei tappeti grigi che chiamate strade. Ma è pesante da arrotolare. Oppure potrei prendere una fetta di pelo verde. Ma non ho capito nulla della terra e rischierei di portar via un regalo da poco. Tutti riderebbero di me e della mia Lukz. Che scoraggiamento! In quell'istante sento alcuni piccoli di uommo che parlano tra loro:

"Che sete" dice uno.

"Cosa darei per un chinotto" dice l'altro.

"Pensa" dice il terzo "che regalo se qualcuno ce lo portasse qui..."

Stavolta metto su addirittura la turboelica da spostamento rapido e volo al primo negozio. Sono pronto a usare anche il cannone fotonico. Al banco c'è una donnina con due quazz di vetro davanti agli occhi.

"Femmina" dico "mi dia tutti i chinotti che ha."

"Sei strano, bambino" dice, e anche lei mi tocca il naso (che non è il naso). "Me ne sono rimasti quattro, ti bastano?"

"Szyp" dico io.

"Duemilaquattrocento lire."

Ahi, a questo non avevo pensato! Però ho un'idea: le metto in mano due o tre di quei quazz brilluccicanti che piacevano tanto all'altra femmina. La vedo sbiancare e ammutolire. Fatto! Volo indietro e atterro davanti ai tre piccoli di uommo.

"Ehi, che buffo" dicono "che cosa sei?"

"Sono il robotto del concorso vinci il chinotto" dico "e voi ne avete vinti tre, uno per uno."

"Uahu!" grida il primo.

"Grande!" ulula il secondo.

"Che felicità" dice il terzo, e si mettono subito a romperli finché non esce l'olio e se lo bevono. Tutti uguali i bambini.

"Ma insomma" chiedo "è un bel regalo o no?"

"È il più bel regalo che potevo aspettarmi oggi" dice il primo.

"È un regalo meraviglioso" conferma il secondo.

"Adesso sto proprio bene" dice il terzo.

Stavolta è fatta. Ci salutiamo: loro sventolano le mani e io sventolo il naso, quello vero, che ce l'ho a destra in basso. Torno alla mia quazzomobile a rimirare il chinotto che ho tenuto per Lukz. Che bello, che trasparenza, con l'olio scuro che si muove dentro, e che odore stupendo. In cima c'è anche un gioiello trondo merlettato e la scritta "Chinotto" in lettere rosso fuoco. Che regalo da portare al collo o in testa, o nelle orkekkys, che regalo per il mio amore!

Accidenti! Ho così fretta di tornare a casa che ingolfo il motore e la quazzomobile si blocca. Ora lei mi ha trovato, signore, e so bene cosa vuole: lei vuole il mio prezioso chinotto. Ma la prego, prenda qualsiasi altra cosa, tutti i miei quazz brillanti, la mia calotta cranica, il pezzo della quazzomobile che le piace di più, il volante in similtrond o l'astrocane che fa sì sì con la testa, le do tutto quanto ma, la prego, mi lasci il chinotto! Lukzenerper mi aspetta.

– Signor Kraputnyk – gli rispondo io – non solo non voglio portarle via il chinotto, ma a nome del popolo terrestre le consegno in più un mio regalo personale: è un optional del chinotto. Se un giorno lei volesse far sentire l'odore del chinotto agli amici, faccia leva con questo e il contenitore si aprirà...

– Bellissimo oggetto. E come si chiama?

– Apribottiglie.

– A-pree-bok-thiglie – ripete il becodiano, commosso. – Grazie, è troppo per me. Chissà quanto costa!

Via via, gli dico, non ci pensi e torni a casa che la aspettano. Con la mia cinquecento gli do una bella spinta. La quazzomobile vibra un po' poi si mette in moto e, accidenti che motore! In dieci secondi è scomparsa tra le nuvole.

Mi sono rimesso a pescare e ho preso tre lucci di cinque chili l'uno.

NASTASSIA

L'unica passione della mia vita è stata la paura.

(THOMAS HOBBES)

Gregorij Alexeij Alexandrevič percorreva col cuore in tumulto il viale di betulle che portava al capanno del giardiniere. Su tutto aleggiava una luce dorata, intensa e gradevole che penetrava persino nell'ombra. Le tortore tubavano senza sosta, un fringuello spiccò il volo da un ramo di lillà verso una nuvola rosa, opalescente come la lampada che Gregorij aveva visto la sera prima sul tavolo di Nastassia Nicolaevna.

Nastassia! Al solo rievocarne il nome il cuore appassionato di Gregorij precipitava in un abisso ove beatitudine e angoscia erano avvinte, senza che una potesse lasciare l'altra, nella fatale estasi della caduta.

Nastassia! Gli sembrava di udire quel nome nello sciabordìo del fiume, nel respiro di ventaglio delle chiome dei tigli, nel canto appassionato del cùculo.

Nastassia, egli ripeté a bassa voce, trattenendo sulle labbra ogni sillaba di quel nome, degustandola come l'elisir che avrebbe potuto dare la vita, o toglierla. Nastassia! Cuore mio, non fuggirmi dal petto!

Il capanno del giardiniere era coperto da un manto di

edera rossa che riluceva nel tramonto con sfumature di fiamma e rubino. Mojka, la cavallina di Nastassia brucava pigramente, ancora sudata per la corsa. Lei dunque c'era! Era venuta! Cuore, un attimo ancora, intimò Gregorij Alexandrevič, avvicinandosi al capanno. La mano del giovane aprì lentamente la porta, che cigolò con discrezione, quasi a dimostrare che anch'essa conosceva la segretezza di quell'incontro.

Nastassia Nicolaevna sedeva su un ceppo di ciliegio. La veste bianca brillava nella semioscurità come un esotico fiore misterioso, e i piedini ondeggiavano come due uccellini nervosi.

Nastassia sorrise al giovane e con un gesto irresistibile, scostò dalla bianchissima fronte una ciocca dei capelli ricci. Gli occhi celesti brillarono di una luce seducente. Dio, com'era bella! pensò Gregorij Alexandrevič, avvicinandosi, e ammirandone, come se fosse la prima volta, il delicato ovale, il disegno sensuale della bocca, la quieta pienezza delle spalle candide. E quei piedini inquieti, quelle caviglie da angioletto d'alabastro! O cuore mio!

– Volete dunque la mia risposta? – disse Nastassia abbassando gli occhi.

Cuore, resisti, pensò Gregorij Alexandrevič, nell'udire quella voce, quella voce che sapeva leggere i più delicati versi di Puškin come domare gli scarti dei cavalli e le bizze della servitù.

– Ebbene la mia risposta... – disse Nastassia. E tacque a lungo.

Cuore, resisti! Quanta grazia e pudore, pensò Gregorij, in questa donna che non vuole forse ferirmi con un rifiuto, o forse ha un ultimo momento di naturale timidezza nel pronunciare le parole che la porteranno lontano dal luogo ove è nata, dal luogo che ha illuminato con la sua incomparabile bellezza.

– La mia risposta è sì – disse Nastassia tutto d'un fiato – Gregorij Alexandrevič, verrò con voi a Pietroburgo e sarò vostra moglie.

– Nastassia! Nastassia! – sospirò Gregorij Alexandrevič e non aggiunse altro. Stramazzò tra l'edera crepitante e il soffice muschio, fece appena in tempo a vedere i piedini di Nastassia che si avvicinavano allarmati, poi più nulla.

Il cuore appassionato di Gregorij Alexandrevič non aveva resistito.

CALIFORNIAN CRAWL

> "Murphy, la vita non è che figura e sfondo."
> (SAMUEL BECKETT)

È morto il padre di Hank. Stava giocando a golf e la pallina gli è finita nel bosco. È entrato dentro a cercarla. Dopo un'ora il caddy preoccupato è andato a vedere ed era lì, morto.

Aveva i pantaloni sbottonati. Sembra si stesse masturbando quando è morto. Forse il golf non lo divertiva abbastanza.

Adesso Hank è qui, sul bordo della mia piscina. Ha una camicia azzurra con un disegno a rombi uguale a quella di Percy Sledge nella copertina di un vecchio disco, non sono sicuro però che sia Percy Sledge, forse è un altro ma Hank è proprio Hank, siamo stati bambini insieme l'anno scorso, e ora non sembra turbato dalla morte del vecchio, si è comprato un paio di occhiali neri con la montatura rosa e la madre gli ha detto, ti sembrano occhiali adatti per un funerale? Hank non le ha risposto, aveva il walkman.

La madre di Hank beve perché ha un cancro al fegato, oppure ha un cancro al fegato perché beve, non lo so, comunque beve come un pellerossa e adesso con un'eredità di mezzo milione di dollari potrà bere anche di più.

Dunque Hank sta seduto sul bordo della mia piscina con

la camicia azzurra col disegno a rombi come il disco di Percy Sledge, tira fuori dalle tasche della coca e fa una riga sul bordo della mia piscina. Appena la vede Lisa nuota verso il bordo della piscina un braccio dopo l'altro e poi ancora l'altro verso l'alto e così procede nell'acqua azzurra con i capelli biondi nella cuffia viola mentre il sole di California entra dalla parete di vetro e abete svedese e fa brillare gli spruzzi di Lisa e gli occhiali rosa di Hank poggiati su una sedia a sdraio e la riga immacolata di coca sul bordo della mia piscina.

– Non dovresti tirare tanto Hank – dice Lisa, e fa sparire la riga di coca dentro il suo bel nasino di bostoniana.

– Potevi lasciarmene un po', cazzo – dice Hank. Si prepara un'altra riga e la aspira con la cannuccia della mia Ginger Ale, così devo andare a prenderne un'altra in casa e mentre sono lì che cerco nel mobile bar vedo mia madre sbronza, con un kimono a disegni come l'insegna del ristorante giapponese di Palos Altos.

– Mi stai sgocciolando tutta la casa, Peter – mi dice.

– È morto il padre di Hank – dico io – e non ci sono più cannucce.

Mia madre mi guarda. È invecchiata, dall'ultima volta che l'ho vista. Mi accarezza i capelli in quel suo modo californiano che non so se amare o detestare.

– Quanti anni hai Peter? – mi chiede.

– Ventuno, mamma – le rispondo. Mi mordo le labbra. Non riesco mai a dirle la verità.

– Ventun anni – ripete meccanicamente come se non ci credesse.

– Ventun anni – ripete meccanicamente come se non ci credesse.

– Ventun anni – ripete meccanicamente come se non ci credesse.

Si passa le mani sul viso e le ritira verdastre per quella sua crema di bellezza al cetriolo. Sospira.

– Io ho sempre sognato che tu un giorno fossi capace di bere dal bicchiere senza cannuccia.

– Non mi sembra così importante, mamma – dico nervosamente.

– Oh no, non lo è – dice lei mettendosi a piangere – ma vorrei tanto che tu non fossi gay.

– Mamma, non sono gay...

– Oh sì! I gay bevono con la cannuccia – dice la mamma sdraiandosi sul nostro divano italiano – tuo padre beveva tutto con la cannuccia, anche l'alka seltzer. La mia vita è stata un inferno. Tuo zio Richard invece era un vero uomo. Era capace di stritolare una lattina di Coca-cola con una mano.

– Mi ricordo, mamma. Stritolava anche quelle non sue. Una notte in un bar due messicani lo hanno massacrato di botte...

– Peter – grida Lisa dalla piscina – Hank sta male. Vomita!

– Il padre di Hank era gay – dice mia madre – e anche Hank lo è. Non voglio che tu lo frequenti. Lui è così, così... penso che andrò in città a comprarmi delle scarpe da jogging. Vieni con me, Peter?

Sorrido. Fa sempre così quando non vuole ferirmi. Ha un armadio pieno di dannatissime scarpe. Torno di là in piscina. Sono arrivati due amici di Lisa, giapponesi credo, e si sono messi a prendere il sole nudi. Hank ha vomitato nella piscina.

– Andiamo nell'altra piscina – dico. Tutti mi seguono. Attraversiamo il prato tagliato di fresco che fa un buon odore di prato tagliato di fresco. Quand'ero bambino spesso mi sdraiavo nel prato e stavo ore a pensare cosa sarebbe successo se una falciatrice fosse passata in quel momento e una volta infatti passò e ricordo quell'ospedale a San Francisco e io immobile con tutte e due le braccia ingessate ascoltavo "Susie darling" di Robin Luke e mangiavo purè, fu lì che cominciò la storia della cannuccia, senza braccia non potevo bere altrimenti, oh ma come cazzo posso spiegarti queste fottute cose mamma, l'unica cosa certa è che siamo troppo ricchi per capirci qualcosa, lo diceva sempre papà.

– Così hai due piscine – dice Lisa. Tutta bagnata con i capelli asciutti fa uno strano contrasto e poi ha quei due occhi azzurri ma non del tutto, c'è un puntino nero al centro; è veramente da urlare, capisco perché Wayne si è sparato per lei, un giorno vorrei tanto anch'io trovare qualcuno per cui farlo, o a cui farlo. Hank ha disposto su un tavolo quattro righe di coca a forma di svastica. È un bambino, in fondo.

– Non dovresti tirare tanto, Hank – dice Lisa.

– Dovrei smetterla, cazzo – dice Hank – ma il Vietnam è una brutta bestia da dimenticare.

Non è mai stato in Vietnam, Hank. Si confonde con Bangkok che è il primo posto dove a sei anni ha tirato coca nella suite dell'Imperial Hotel mentre il padre si faceva una cameriera sul terrazzo. Ora i due giapponesi fanno tai-chi sul bordo della mia piscina. Arriva Sam con la sua ragazza, una modella per pareos, vede Hank e dice:

– Ho saputo di tuo padre.

– Cosa gli è successo? – chiede Hank. Mi accorgo che la sua camicia azzurra non è a rombi, ma a manghi, e comunque è come quella di Percy Sledge, o forse Perry Como, mi ricordo che era un disco nero tondo con un buco in mezzo che stava sopra il mio letto vicino al poster di nonna Papera e che si incantava perché aveva un graffio. Allora avevo duemila cannucce usate dentro al comodino e quando mio padre me le trovò disse che forse per me ci voleva un viaggio in Europa. Stetti un mese a Parigi e quando tornai nella mia camera c'erano due studenti coreani.

– Pensavamo che non saresti tornato – disse mia madre. Fu allora che cominciò a bere. Adesso eccola lì che appare sul bordo della mia piscina con quel suo sguardo tagliente californiano, una parrucca rossa e una maglietta di Prince. Cerca di essere al passo quando sa che ci sono i miei amici.

– Un tiro di coca signora? – dice Hank.

– Non dovresti tirare tanto, Hank – dice mia madre.

– Dovrei smettere, cazzo – dice Hank e si fa una riga che gira tutto attorno alla siepe e finisce davanti al garage.

– Che ne direste di un Martini? – dice mia madre.

– Fanne quaranta – dice Sam – hai saputo del padre di Hank?

Mia madre si tuffa e si mette a nuotare un braccio dopo l'altro e dopo che il braccio in acqua si è alzato l'altro braccio descrive una curva ed entra in acqua e poi ne esce a sua volta e l'altro entra ma lei non avanza. Mi accorgo che tocca il fondo con i piedi e fa solo finta.

I due giapponesi ridono contenti.

Sam dice che c'è una gara di frisbee per cani giù a Redondo Beach e concorre anche il cane del suo analista.

– È meraviglioso – dice la modella – ci andiamo?

– Non ci penso neanche – dice Sam.

Il sole cala dietro Santa Monica boulevard e le nuvole californiane passano, una sembra un bue e l'altra un frisbee, un'altra Percy Sledge che dorme, un'altra un cagnolino cihuahua.

– Una volta avevamo un cihuahua – dice Hank – ma mio padre lo ha ucciso col diditì. Eravamo felici allora.

Gli casca il sacchetto della coca in acqua. Si tuffa. Non lo vediamo tornare su.

– Ho conosciuto un regista inglese – dice la modella – secondo lui ho il viso ideale per fare un film sulla vita di Dianne Arbus.

– Hank non dovrebbe tirare tanto – dice mia madre vedendolo steso sul fondo.

Hank gorgoglia qualcosa.

– Forse è meglio vuotare la piscina – dice mia madre, ma nessuno le dà retta. Allora scrive in fretta sul suo libretto degli assegni.

– Cinquemila dollari a chi vuota la piscina e cinquemila a chi fa la respirazione artificiale a Hank – dice sventolando uno cheque.

Lisa si mette a ridere. Fa sempre così quando sente parlare di soldi. È un suo complesso. Quando lei aveva dodici anni suo padre si buttò dal ventesimo piano per un investimento sbagliato. Suo fratello fece lo stesso l'anno scorso. L'altro fratello vive su un davanzale di albergo a Miami.

– Cosa c'è da ridere? – dice Sam. – Hai una televisione lì dentro? – Vanno tutti a vedere il basket, compresi i giapponesi.

– Ok mamma, vuoto io la piscina – dico – ma con la cannuccia.

Mia madre mi tira contro lo shaker, balza sulla sua Honda e sparisce giù per il boulevard in contromano. Io e Lisa tiriamo su Hank, peserà almeno duecento chili con l'acqua la coca il cloro e il resto.

– Una volta a Boston ho visto un negro investito da una Cadillac ed era sdraiato per terra proprio come Hank. Peter, credi che i morti si somiglino tutti?

– Non c'è tempo per queste sciocchezze Lisa – dico. Sollevo Hank e lo adagio nel prato.

– Tu non pensi che ai tuoi amici – dice Lisa improvvisamente severa.

– Vattene – dico – sei ubriaca.

Mi sdraio su una sedia a sdraio. Bevo quattro Martini senza voglia. Poi mi tuffo e metto un braccio davanti all'altro e poi l'altro alternativamente mentre l'altro resta in acqua e così facendo il braccio davanti spinge e poi diventa il braccio dietro mentre l'altro si viene a trovare davanti. È una cosa che in California chiamiamo crawl. Sento un sibilo. È Hank che si sta sgonfiando come un gommone, e butta fuori l'acqua. Entra mio fratello Roger con la sua ragazza, una Rockefeller che fa la fotografa.

– Ho visto passare la mamma – dice – faceva almeno i duecento.

Roger ha studiato in Europa.

– Hai sentito del papà di Hank e di Hank? – dico.

– Com'è finita la partita? – dice mio fratello.

Non siamo mai andati molto d'accordo. Non sono neanche sicuro che sia mio fratello. Una volta l'ho trovato a letto con mia madre. O è stato lui a trovare me? Non ricordo. Oh merda, che noia la California.

– Ti faccio una foto? – dice la Rockefeller.

– Falla a Hank – dico io – dopo voglio dipingerlo.

Arriva la mamma di Hank sbronza dura. Sfonda il vetro della piscina con la Cadillac. È ancora vestita di nero dal funerale.

– Perché quella testa di cazzo di mio figlio mi ha mollato? – grida.

Poi lo vede e dice:

– Non dovresti tirare tanto, Hank.

Esce Sam e dice che i Lakers hanno vinto con trenta punti di Worthy. Non cambierà mai. Queste sono le cose che lo interessano. Penso che non abbia letto un libro né usato una cannuccia in vita sua. Vorrei morire, morire, morire, ma lo fanno già tutti.

OLERON

> Il paese della nostra nostalgia è invece il normale, il decoroso, l'amabile, è la vita nella sua seducente banalità.
>
> (THOMAS MANN)

Verso mezzanotte scoppiò il temporale. Lo avevano annunciato tuoni sordi, lontani, e poi i lampi avevano iniziato a illuminare i sipari di castagni ai lati della strada. Quando cominciò a piovere fittamente, rallentai. Il passo di Badle dista solo cinquanta chilometri dalla città, ma sembra di attraversare una terra dimenticata. La strada è stretta e dissestata, piena di tornanti che avvolgono grandi pareti di roccia livida, o si protendono sull'abisso della valle, che porta il nome di Valle dell'Ombra. Non vi batte mai il sole, e quel poco che supera la barriera delle montagne va a spegnersi in un bosco fitto e umido, pieno di tronchi morti. Ci sono pochissime case, quasi tutte disabitate.

Guidavo l'auto con prudenza e apprensione, ma presto la pioggia divenne così violenta che la frenesia dei tergicristalli riusciva a malapena a darmi qualche attimo di visibilità. Un vento impetuoso piegava le cime degli alberi, i rami sporgenti battevano sulla macchina con rumore sordo. Uno di questi, come il braccio di una scimmia mostruosa, coprì addirittura tutto il parabrezza, così che dovetti arrestarmi di colpo.

Accesi la radio per rincuorarmi: confesso che avevo paura. C'era ancora un'ora di strada per arrivare al paese più vi-

87

cino, e non mi sarebbe piaciuto restare bloccato in quei luoghi. La radio però restò muta. Ero ai piedi di una gola altissima, dalla cui cima sentivo scorrere un torrente: nessun segnale, pensai, poteva raggiungermi.

Cercai di rimettere in moto, ma non ci riuscii. La macchina singhiozzava e tossiva, ma non accennava a emettere il rassicurante rumore del motore acceso. Finché tutto tacque. Fu allora che avvertii il silenzio secolare di quel bosco.

Accesi una sigaretta e cercai di calmarmi. Qualcuno forse sarebbe passato, nonostante l'ora tarda. Cercai di immaginare cosa avrei raccontato a Lea, che mi aspettava in un vecchio albergo di Badle. Avremmo scherzato sui "rischi" del mio mestiere. Poi i miei pensieri presero subito un'altra direzione, meno rassicurante.

Sono nato in una valle vicina a questa, e ricordo ancora le strane dicerie sugli abitanti di Valle dell'Ombra. D'inverno passava per il mio paese un vecchio ombrese alto, col viso affilato e la barba grigia. Vestiva un mantello di pelliccia, sul retro del quale ricadeva una testa di lupo. Attraversava il paese per comprare sacchi. Decine di sacchi. Poi ripartiva. Una notte lo sentii andarsene cantando questa canzone:

> La luce non cancella l'ombra
> l'ombra cancella la luce
> il giorno gioca con te, poi ti abbandona
> sarà la notte la tua padrona.

Non sentivo ora, nel rumore del vento che piegava gli alberi, le note di quella melodia?

Un brivido mi percorse la schiena. Il calore nell'auto stava diminuendo. Reagii all'improvviso con un moto d'ira: non era possibile che a pochi chilometri dalle luci della città mi lasciassi spaventare da un temporale autunnale. Uscii dall'auto e la pioggia gelida mi frustò il viso.

Feci pochi passi e mi rincuorai subito: una luce balenava proprio in fondo al tornante successivo.

Mi incamminai bagnando le scarpe nel rivolo d'acqua sporca che veniva giù dal calanco roso dalla pioggia. Un uccello notturno passò sopra di me, sospeso nel buio, e lanciò un grido soffocato. Senza accorgermene, quando arrivai davanti alla luce, stavo correndo. Intravidi una casa di contadini con i muri scrostati. Le finestre sembravano chiuse da chissà quanto tempo, ma dalla mezzaluna sotto l'architrave veniva una luce fioca. Bussai, e dopo un attimo scandito da due lampi paurosi, la porta si aprì e vidi qualcuno che in un primo momento non riuscii a distinguere. Poteva essere un bambino o un uomo molto piccolo. La sua voce era un rantolo, una voce di malato, e non ne capivo le parole. Quando sollevò la lampada, vidi una vecchia. Un vecchia spaventosa, con occhi sporgenti da rospo su un viso rovinato da qualcosa che sembrava un'ustione. Era deformata dall'artrosi e si muoveva come se fili invisibili la torcessero tormentandola. La bocca sdentata era dipinta di rosso fuoco e sulle gote pallide c'era un maldestro tocco di cipria. Una morta pronta per il ballo, pensai con un brivido. Controllai i nervi e iniziai a spiegarle la mia situazione.

– Sono rimasto fermo con la mia auto proprio qua sotto... se lei potesse lasciarmi telefonare...

La vecchia rise. Un riso infantile, crudele.

– Qui non c'è telefono... ma lo può trovare su a villa Oleron...

Quel nome fu peggio di tutto.

– Oleron, ha detto? Il conte di Oleron?

– Il conte Maurizio Denian di Oleron – precisò la vecchia – lo conosce?

– Eravamo... compagni di scuola – risposi.

– Allora – disse la vecchia – non avrà difficoltà a farsi aiutare. Qua dietro c'è una scalinata. Salga e troverà villa Oleron. Non è illuminata, stia attento a dove cammina. E mi raccomando – gli occhi della vecchia ebbero un lampo – entri dalla porta principale. *Per nessuna ragione* entri dalla porta posteriore, quella col battente a testa di lupo... segua il mio consiglio, signor Egistus.

– Grazie – dissi – ma... come fa a conoscere il mio nome?

La vecchia non rispose. Richiuse la porta. Voltandomi indietro mi parve di vedere il volto di un uomo, dietro la finestra.

Devo ora spiegarvi perché quel nome aveva provocato in me tale turbamento, e perché mi fermai sotto la pioggia, su una panchina di pietra, indeciso se salire o no la scalinata verso la villa. Oleron e io eravamo stati compagni di collegio, ed eravamo stati legati da una strana amicizia. Ma io avevo sempre avuto paura di lui, fin dal primo giorno in cui apparve. Frequentavo allora il collegio Filodossi, una brutta costruzione in stile littorio sulla collina della città di Lyz. Vi si arrivava percorrendo un lungo viale di ippocastani. Una sera, eravamo già a metà del primo trimestre, vedemmo avanzare nel viale una carrozza vecchio stile, tirata da due cavalli. L'inattesa apparizione fu completata dalla discesa di Oleron. Era un ragazzo magro dagli occhi sottili, quasi orientali, con lunghe e folte sopracciglia nere che contrastavano con la delicatezza del resto del viso. Portava i capelli pettinati all'indietro e vestiva tutto di nero, con due spille d'oro puntate sul petto.

Venne sistemato nell'ala più lontana del collegio, in una dépendance sulle rive di un laghetto. La prima sera, quando si presentò alla mensa, il suo aspetto e la fama di nobiltà della sua famiglia lo fecero bersaglio di qualche battuta a mezza voce. Ma gli scherzi si arrestarono subito di fronte al suo sguardo gelido. C'era in lui qualcosa di freddo e distante che incuteva paura.

– È come se facesse odore di cimitero – ricordo che commentò un collegiale, con una battuta che non riuscì a far ridere nessuno.

In pochi giorni Oleron aveva già messo tra sé e gli altri collegiali una cortina separatoria. Non sembrava farlo per snobismo, né per alterigia. Non si interessava di noi in quanto *nulla* sembrava interessarlo. Non parlava con nessuno e gli insegnanti avevano, come noi, paura di lui. Era uno scolaro del tutto imprevedibile. A volte, chiamato a rispondere, diceva semplicemente: "Non vengo" con aria annoiata. E nessuno riusciva a convincerlo: lasciava che l'insegnante consumasse il fiato nella predica. A volte invece si accendeva di improvviso interesse per alcune materie. Era bravissimo in latino e in greco, amava alcuni aspetti delle scienze naturali, ad esempio l'anatomia. Era indifferente alla letteratura, ma la sua attenzione si ridestava quando apparivano scene sanguinose, morti violente, paesaggi infernali. I suoi temi erano per lo più scialbi, in contrasto con la sua persona, come se in essi egli cercasse di recitare la normalità. Poi una frase, un aggettivo, un vocabolo, li rendevano improvvisamente inquietanti. E le sue letture non erano certo scolastiche. Passava tutto il tempo libero in un angolo della biblioteca, e sbirciando potevo vederlo chino su libri che allora non conoscevo, Milton e Lovecraft, Poe e Pétrus Borel, Nodier, Lacenaire, Blake, De Sade, Swinburne, testi di magia nera e demonologia. Con le mani bianche contratte sulle tempie, leggeva per ore. E nulla di quello che accadeva nel collegio sembrava riguardarlo. A sera non veniva neanche più alla mensa comune, aveva ottenuto il permesso di mangiare in camera. Spesso si vedeva la luce accesa a tarda notte, nella finestra sul laghetto.

Gli insegnanti, dopo una riunione in cui il preside comunicò loro qualcosa sulla "particolarità" dell'allievo, si rassegnarono alle sue stranezze, e si spensero anche i sorrisini di scherno e i bisbigli dei compagni. Solo un certo César, un ragazzo grosso e aggressivo, una specie di capoclasse nel nostro corso, non gradiva il distacco di Oleron, che chiamava sprezzantemente "Sua Maestà". E giurava che prima o poi l'avrebbe "messo a posto".

Due volte alla settimana scendevamo nel giardino del collegio dove il cosiddetto insegnante di ginnastica, un vecchietto con un solo polmone, fingeva di farci lezione. In realtà l'educazione fisica non era tenuta in gran conto, e così solo pochi eroi si mettevano a improvvisare partite di pallavolo, mentre gli altri dormicchiavano o assistevano con sberleffi e incitamenti.

Oleron in queste occasioni spariva dentro una macchia di rose selvatiche in fondo al giardino, e non dava più segno di sé. Avvenne che una volta César decise che "bisognava fare una partita seria" e con fare da padrone ci convocò uno per uno in mezzo al campo.

– Siamo dodici della nostra classe – disse César – e per una volta almeno giocheremo regolare, sei contro sei!

– Sì – disse Werner, un rosso maligno – ma il dodicesimo è Sua Maestà.

César restò un attimo immobile, sbuffando al centro del nostro piccolo gruppo.

– Sua Maestà questa volta giocherà – disse, e si incamminò verso la macchia di rose. Noi lo seguimmo, e lo vedemmo esitare davanti ai cespugli. Lì dentro c'era il mistero di Oleron, che nessuno di noi avrebbe voluto sfidare.

– Ehi, damerino – gridò César – vieni fuori, abbiamo bisogno di te.

Oleron non rispose.

– Ehi – gridò di nuovo César infuriato – ci hai stufato con le tue arie... o vieni qua a giocare tra noi mortali o ti faccio un bell'occhio nero, in tinta con i tuoi vestiti.

César si voltò verso di noi per spiare l'effetto della sua battuta. Nessuno fiatò.

Oleron uscì dalla macchia. Gli occhi brillavano ironici, e una spina gli aveva rigato la guancia di un graffio rossastro, come il baffo di un animale. Teneva una mano dietro la schiena. Sfidò lo sguardo di César che aveva perso un bel po' della sua sicurezza, ma ormai era in gioco e disse:

– Damerino, non so cosa fai lì dentro di tanto divertente, ma adesso verrai a giocare con noi.

Oleron sorrise: un sorriso come un fiore velenoso. Poi lentamente tolse la mano da dietro la schiena e la alzò davanti agli occhi di César. Tra le dita aveva una delle sue spille appuntite, e sulla spilla, trafitta, agonizzava con l'ultimo brivido delle ali, una grossa farfalla.

– Io mi diverto così – disse Oleron.

Indietreggiammo. Da allora nessuno sfidò più Oleron, né cercò la sua compagnia.

Passarono alcuni mesi. Oleron si isolò sempre di più. Si diceva che per qualche motivo le donne delle pulizie non volevano più entrare nella sua camera, ed egli aveva ottenuto di rigovernarla da solo e di tenerne la chiave. A scuola, continuava ad alternare ottime versioni in latino e greco a categorici rifiuti di essere interrogato. Se la materia riguardava poi la chiesa o la religione, sibilava frasi sprezzanti e bestemmie incomprensibili. Continuava a leggere i suoi libri maledetti che nessuno osava sequestrare, e diventava sempre più magro e pallido. Da quando era entrato in collegio, nessuno era mai venuto a trovarlo, né risultava che avesse scritto o ricevuto una sola lettera.

All'inizio di febbraio, cominciò ad arrivare a lezione in ritardo. Giungeva con gli occhi cerchiati come dopo notti insonni, e si accasciava sul banco. Spesso si addormentava e si svegliava lanciando un grido strozzato.

Prese a rifiutare le interrogazioni anche in latino e in greco. Una mattina arrivò con una ferita sul collo. All'ultima ora, quando ci preparavamo a lasciare l'aula, vidi che non aveva nemmeno la forza di alzarsi dal banco. Ne ebbi pietà e vincendo la paura dissi:

– Non stai bene? Hai bisogno di aiuto?

Non rispose. Gli toccai una mano ed era gelida. Alzò la testa di scatto e urlò:

– Sto benissimo e non ho bisogno di nessuno.

Si alzò barcollando e andò a chiudersi nella sua stanza.

Ma quel pomeriggio ebbi una sorpresa. Stavo studiando storia nella biblioteca del collegio, una stanza dai soffitti altissimi, affrescata con scene simboliche che nelle intenzioni del pittore dovevano evocare la Divina Commedia.

Oleron silenziosamente mi scivolò vicino. Posò sul tavolo un libro e mi mostrò un'illustrazione. Era una scena mostruosa: una reggia orientale dove due tigri sbranavano fanciulle e fanciulli sotto l'occhio di un sultano sadico.

– È più interessante di tutto questo, no? – disse Oleron, indicando le pareti di libri che ci circondavano. – La storia non racconta la verità – disse poi, chiudendo il mio libro – perché non racconta cosa è successo nei castelli misteriosi, nelle stanze segrete. La storia è dietro una porta chiusa. Eroismi, conquiste, progresso: menzogne! La storia è fatta di crudeltà!

Non risposi. Le illustrazioni del libro mi attiravano e mi spaventavano. Oleron mi lesse un brano: – Ascolta – disse – le parole di un vero poeta:

Il fuoco è la mia tenerezza
perché angelo e belva insieme
nel mio spirito caddero abbracciati.
Nel palpito dell'agonia è la vita più sacra
perché allora non dovrei amarti
perché non dovrei ucciderti?

– Non mi sembrano parole sensate – dissi nervosamente – e certo nessuno farebbe una dichiarazione così a una ragazza.

Oleron sorrise e mi mostrò un altro libro. Era il "Processo a Gilles de Rais".

– Anche questo era un uomo – disse accalorandosi – nato dall'amore di un uomo e di una donna. Tutto quello che ha fatto lo ha fatto perché era nella sua natura. Come nella tua e nella mia. Se il vaniloquio dei "maestri" di questo collegio, di questa prigione, non spegnerà la nostra sete di verità, noi potremo essere come lui.

E guardò sprezzante l'insegnante di storia, che si trovava anche lui in biblioteca. Come se avesse avvertito quello sguardo, l'insegnante ci disse di stare zitti e di non disturbare. Avidamente, iniziai a leggere le gesta scellerate di Gilles de Rais. E Oleron senza guardare né me né il libro, sorrideva come se leggesse insieme a me, e avesse quel libro dentro di sé, pagina per pagina.

Il giorno dopo a scuola, non riuscivo a prestare attenzione alla lezione. Oleron all'improvviso mi fu di nuovo vicino. Mi mostrò un piccolo libro stampato su carta pregiata, e un'illustrazione. Era un disegno di Beardsley per "Ligeia" di Edgar Allan Poe.

– Cosa te ne sembra?

– È affascinante, Oleron – risposi – ma dove portano questi libri? Che speranza possono darci? Perché mai dobbiamo preferirli ai libri che ci propongono a scuola, ove tutto è chiaro e razionale?

– Hai detto bene, Egistus – disse Oleron. – *Noi dobbiamo*. Senti queste parole di Baudelaire su Edgar Allan Poe.

"Esiste allora una diabolica Provvidenza che prepara l'infelicità nella culla, che getta premeditatamente esseri angelici ricchi di intelligenza in ambienti ostili, come martiri nel circo? Vi sono dunque delle anime sacre, votate all'altare, condannate a camminare verso la gloria e la morte, calpestando le proprie macerie? L'incubo delle tenebre stringerà in una morsa eterna queste anime elette? Inutilmente si dibattono, inutilmente si addentrano nel mondo, ai suoi fini ultimi, agli stratagemmi; perfezioneranno la loro prudenza, sprangheranno tutte le uscite, barricheranno le loro finestre contro i proiettili del caso: ma il Diavolo entrerà nella serratura: una perfetta virtù sarà il loro tallone di Achille, una qualità superiore il germe della loro dannazione."

Iniziò così la mia amicizia con Oleron. Riuscii presto a capire i motivi delle sue preferenze scolastiche.

– Latino e greco – mi spiegò – sono lingue dei libri magici. Anche l'arabo e il cinese antico sono lingue che custodiscono segreti. Nessuna delle lingue moderne è utile per interpretare i segni del tempo dietro al tempo.

– E cosa intendi – chiesi – per tempo dietro al tempo?

– È il luogo dove abitano coloro che esistevano prima di

noi, e un giorno di nuovo abiteranno il mondo. Quando ritorneranno, essi ci interrogheranno in queste lingue. Guai allora a chi non conoscerà le antiche formule, a chi non saprà pregare! E non le sordide preghiere della resa e della sottomissione. Le preghiere della battaglia. Il grido dell'angelo caduto. Così ci ricongiungeremo e bruceremo nel rogo tutti coloro che nel rogo ci uccisero!

Malgrado mi fingessi scettico, ero spaventato. Cercavo invano di farmi spiegare da Oleron il significato delle sue frasi oscure. Ma evidentemente non ero altro che uno specchio per i suoi pensieri. Ero sempre più affascinato da lui, tanto che poco alla volta persi interesse allo studio. Aspettavo con ansia il momento in cui Oleron mi avrebbe portato un nuovo libro. Iniziai anch'io a cercare quei testi. Questo cambiamento non passò inosservato. I professori informarono i miei genitori sui pregiudizi che quell'amicizia arrecava al mio rendimento scolastico. I compagni presero a evitarmi.

Una sera, mentre passeggiavo nel giardino, venni avvicinato da una donna che lavorava nelle cucine.

– Non lo frequenti! – mi disse con la paura nella voce.

– Di chi parla?

– Non frequenti quello strano ragazzo, signor Egistus! Fino a poco tempo fa dormivo nelle case vicino al laghetto. Tutta la notte dalla camera di quel ragazzo sentivo venire rumori strani. Una mattina diedi un'occhiata dalla finestra. Era come se nella camera fosse passato un ciclone. Tutto era rovesciato... ribaltato. E il materasso era come sventrato da... non so quale mano... e sul muro... c'erano quei segni...

– Quali segni?

Non rispose. Dal buio, come per incanto, era apparso Oleron. L'ala di capelli neri gli copriva metà del viso, e l'espressione con cui guardava la donna era terribile. La donna scappò, e la vidi addirittura farsi il segno della croce.

– Qualcosa mi dice che stavate parlando di me – sibilò Oleron.

Diedi una risposta a caso, inquieto. Avevo l'impressione

che il respiro del mio compagno fosse strano. Notai per la prima volta la lunghezza delle sue mani.

– Non crederai – mi disse – a tutto quello che ti viene detto su di me...

– Oleron – dissi precipitosamente – perché non mi hai mai fatto entrare nella tua camera?

– Non sei pronto – disse secco Oleron, e si allontanò.

Per qualche giorno ci frequentammo pochissimo. Su di lui ora fiorivano molte storie inquietanti. Seppi che aveva perso i genitori e viveva da solo in una vecchia casa di Barcairn. Che due suoi fratelli erano morti di una malattia misteriosa, di origine nervosa. Che era stato visto frequentare i bordelli delle città, da cui, per la sua giovane età, era stato prelevato dalla polizia e riportato a casa. Qualcuno sussurrava che era un pervertito. Una voce più terribile riguardava certe sue crudeltà, che avevano indotto i parenti a chiuderlo in collegio. E, particolare inquietante, Oleron si era rifiutato di sottoporsi a visita medica prima di entrare nel collegio.

Come talvolta succede, questo stillicidio di notizie finì con l'ottenere l'effetto opposto. Pensai che non era giusto che tutti ce l'avessero con lui. In fondo stava da solo e non infastidiva nessuno, a differenza di tanti altri "bravi ragazzi" di cui conoscevo le perfidie e le malignità. C'era, nel suo dignitoso isolamento, qualcosa di disperato. Dopo averlo conosciuto, i libri di scuola non avevano più lo stesso significato per me. Poco per volta il mio disinteresse per lo studio divenne totale, e il mio sguardo verso i compagni sprezzante come quello di Oleron.

Nessuna delle parole che sentiamo in questa prigione è degna di essere ascoltata, egli diceva.

Forse era vero. Esistevano altre parole, in una lingua arcana e terribile. A cosa, a chi dovevamo ricongiungerci?

Una mattina, con mia sorpresa, trovai Oleron che mi aspettava in cortile. Faceva molto freddo, aveva nevicato.

Indossava un mantello nero, un po' ridicolo per un ragazzo della sua età. Senza una spiegazione mi disse:

– Oggi niente scuola. Ho qualcosa da farti vedere.

Camminammo fino al vecchio muro di cinta che chiudeva il collegio dalla parte dei campi. Alcuni mattoni erano stati tolti, e lo si poteva scalare con facilità. Qualche collegiale usava quel "passaggio" per le sue escursioni notturne, ma noi lo scalammo di giorno, e fu un miracolo se nessuno ci vide. Oleron saltò giù con insospettata agilità e si mise a camminare di buon passo lungo la strada che portava in città.

Incurante delle mie domande, voltò per una strada di ghiaia tra cespugli di more, finché giungemmo a un edificio bianco. Oleron si arrampicò su un muro e poi sul tetto di una casa. Da lì potevamo vedere il cortile dell'edificio, dove passeggiavano alcuni uomini. Dai loro movimenti e dalle loro urla non era difficile capire che erano pazzi furiosi, e che quello era il cortile di un manicomio.

– Eccoli – disse Oleron – loro hanno visto *Quelli-che-erano-prima*. Hanno guardato la Medusa negli occhi. Melmoth parla per loro, con voce di belva.

Ascoltavo impaurito il delirio di Oleron inframmezzato dalle grida e dalle implorazioni di quegli sventurati. Ma nella voce di Oleron non c'era alcuna pietà.

– Essi hanno incontrato la verità e la verità li ha spezzati. Eppure c'è chi può guardarla in faccia. Quando io la incontrerò, non risponderò con queste grida e questi balbettii. Io dirò: salve, sono uno di voi. E come voi voglio il male, con ogni mia intima fibra. Proteggetemi e sarò vostro come prima di me lo furono Caligola e Gilles de Rais, Cortez e Vlad Drakul!

Oleron sembrava ora completamente invasato: – Questa è la strada, Egistus. Questa è la prova che QUELLI esistono! Cosa può avere ridotto così queste persone? Forse quello che ci insegnano a scuola?

I suoi lineamenti erano stravolti, mentre mi inchiodava le braccia stringendomi con forza insospettata. Mi accorsi che mi stava spingendo all'indietro, sul tetto spiovente.

– Fermati – urlai – mi fai cadere!

Oleron sembrò non sentirmi. Mi spinse fin sull'orlo della grondaia. Sotto di me vidi molti metri di vuoto. Gridai, cercai di divincolarmi. Sentii un urlo: una donna era uscita dalla casa e guardava la scena atterrita.

Oleron si fermò, mi sorresse e proruppe in una sonora risata:

– Coraggioso Egistuś! Tu vuoi conoscere i segreti dell'Ombra, ma al primo scherzo sei già terrorizzato. Sei un pessimo allievo!

Lo guardai mentre camminava davanti a me tornando verso il collegio. Mi chiedevo cosa sarebbe accaduto se non fosse arrivata quella donna: avrebbe veramente interrotto il suo "scherzo"?

Oleron saltava davanti a me aprendo ogni tanto le ali del mantello. Il cielo si era rannuvolato e l'aria si era fatta ancor più fredda. Mi fermai, stanco, inquieto.

– Non correre così – dissi – sembri un pipistrello.

Oleron si appoggiò allora a un albero, chiudendo il mantello. C'era qualcosa nel suo corpo, una deformità che non avevo mai notato. Sentii che in quel momento, se avesse voluto, avrebbe potuto far accadere qualcosa di orribile. Si passò una mano sul volto. Vidi che tremava.

– Rientriamo – disse.

Fummo naturalmente scoperti, al ritorno. Ci minacciarono di espulsione. Ma era il tempo delle vacanze di Pasqua e fummo perdonati. Saremmo tornati a casa per venti giorni.

– Signor Egistus – disse il preside – avrà il tempo per riflettere su ciò che le sta accadendo. Lei era un ottimo allievo. Ora c'è un'ombra nefasta sul suo capo, e quest'ombra ha un nome. Spero che lei se ne liberi. Quanto a Oleron, l'unica cosa che posso dire è: Dio abbia pietà di lui.

I giorni che trascorsi a casa mi fecero sembrare il collegio mille miglia distante. Era come se, lontano Oleron, fossero scomparsi anche tutti i pensieri che mi avevano intossicato.

Leggevo ancora i libri di Poe, Baudelaire, Nodier, Lewis e Milton, ma mi sembravano assai diversi. Nulla di diabolico. Solo la fantasia e la sofferenza di uomini come me.

I miei genitori, vedendomi così sereno, furono molto sollevati. Giungemmo anche a parlare di Oleron scherzosamente, chiamandolo "il conte gufo". Sì, lontano egli non aveva più alcun potere. Mi giunsero intanto voci che si era ammalato. Che era stato coinvolto in "atti innominabili" e solo il prestigio della famiglia aveva messo tutto a tacere. Fantasticai a lungo su quegli "atti innominabili".

Poi conobbi una ragazza. Era figlia di amici che erano venuti a trovarci nella casa di campagna: bionda, con gli occhi azzurri, un sole. Certo ben diversa dalle bellezze delle illustrazioni di Beardsley. Dopo una settimana che ci eravamo conosciuti, già ci baciavamo in ogni luogo remoto, ed ero il più felice degli uomini, mentre lei diceva ridendo:

– E dire che quando sono venuta la prima volta mio padre mi aveva messo in guardia: "Non ti piacerà" mi aveva detto "è un ragazzo strano, così triste!"

Tornai alla "prigione" del Collegio. Ma ormai mancavano meno di tre mesi alla fine della scuola. Oleron non era tornato. Avevo ripreso a frequentare César e la sua banda. Passavo il tempo a studiare e a scrivere lettere a Eleonora. Una mattina, notai che i miei compagni mi evitavano di nuovo. Non mi ci volle molto a capire cosa era successo. La finestra della camera sul laghetto era aperta. Oleron era tornato.

Me lo trovai improvvisamente davanti all'uscita della mensa. Era ancora dimagrito, quasi spettrale. Portava il segno di un'ennesima ferita alla gola. Iniziò a parlarmi, farneticando:

– Devi aiutarmi Egistus. LORO sono venuti e mi hanno parlato. LORO sono più forti di me, ma ho resistito. Devi aiutarmi!

C'era qualcosa in lui di ancor più spaventoso. Come se ci fossero due, tre Oleron dentro di lui che combattevano, ognuno cercando di annientare l'altro in una lotta spietata. Mi camminava accanto e alternava una voce bassa, gutturale a una voce acuta e isterica mentre diceva:

– Io resisterò. C'è un solo modo per resistere a loro... ed è diventare come LORO... tu vedrai... tu non sai come ci si può TRASFORMARE... tu non sai...

Improvvisamente mi guardò negli occhi. Restò un po' in silenzio poi disse:

– Tu sei cambiato!

Parlò con una ferocia gelida che mi atterrì. Non sostenni il suo sguardo e corsi nell'aula. Lui mi fu subito al fianco.

– Il bene è entrato in te – sibilò Oleron – e tu hai perduto la strada. Ma non puoi abbandonarmi ora...

La sua mano mi artigliò il braccio. La bocca gli tremava.

Capii che dovevo liberarmi di lui finché ero in tempo: con un grido mi divincolai e lo spinsi via, facendolo cadere a terra. Il professore interruppe la lezione. Subito chiese cos'era successo. Io non risposi. Il professore gridava. Oleron taceva a testa china. Poi alzò la testa e sputò in faccia al professore.

La scuola finì. Fui promosso e lasciai il collegio senza rimpianti. Prima dell'estate, insieme a Eleonora stavo progettando una vacanza al mare. Di Oleron sapevo solo che dopo l'espulsione dal collegio viveva a Barcairn ed era molto malato. Fu con grande stupore, quindi, che un giorno mi vidi recapitare un suo biglietto.

Caro Egistus,

Inutile dire che mi rattrista il modo in cui ci siamo lasciati.

In effetti stavo passando un brutto periodo e mi sono comportato da sciocco. Presto partirò definitivamente per un paese straniero. Non vorrei lasciarti un cattivo ricordo di me: sei stato in fondo l'unico amico che ho avuto in questa sfortunata vacanza tra i mortali. Ti prego di venire a casa mia domani sera, con la tua candida compagna. Ceneremo insieme e ti mostrerò che anche io sono capace di sentimenti quali l'ospitalità e la gratitudine.

Ti prego di non negarmi questo ultimo favore

Oleron

Fui molto turbato da questa lettera. Era la prima volta che Oleron sembrava accorgersi davvero della mia esistenza, e trattare qualcuno come un essere umano. C'erano nella lettera umiltà e semplicità, anche se alcune frasi come "la mia vacanza tra i mortali" e "la tua candida compagna" denunciavano che non tutto era placato nella mente del mio compagno.

Riuscii a convincere Eleonora ad accettare l'invito.

Oleron abitava in un vicolo del quartiere di Barcairn, un tempo ricco, ora decaduto. La casa occupava tre lati del vicolo e i muri erano coperti da una cascata di edera ormai disseccata, di color giallo spento. Qua e là spuntavano pezzi di affreschi scrostati, stemmi araldici, e teste di lupo sbrecciate. Una cameriera imbellettata, vestita di nero attraverso una scalinata buia ci introdusse nell'appartamento. Oleron ci attendeva, in piedi al centro della stanza, una stanza grande, con soffitto a volta. In fondo c'era una tavola apparecchiata con un mazzo di rose bianche dal profumo dolciastro. L'unica luce proveniva da una lampada a stelo a forma di airone, le finestre erano chiuse da pesanti tende rosse. Non c'era nulla di diabolico in quella stanza... piuttosto un'indefinibile sensazione di sacro. E anche Oleron aveva qualcosa di sacerdotale mentre ci serviva cibo e vino.

Non era il solito Oleron. Era spettinato e vestito con un camicione bianco che lasciava intravedere il collo martoriato dalle solite strane cicatrici. Sembrava calmo e cordiale, a tratti tentava anche qualche battuta di spirito. Si informò sui professori che chiamò "quel gregge di inquisitori" e quando gli parlammo del nostro progetto di andare al mare disse:

– Il mare... certo, la mia apparizione su una spiaggia piena di bagnanti col mio vestito nero sarebbe un bell'avvenimento.

Questa volta ridemmo tutti e tre. Anche Eleonora si rilassò. Oleron continuò a bere ed era sempre più brillante. Andò nella stanza vicina, per farci una sorpresa, disse. Rientrò accompagnato dalle note di un disco, il "Valzer del pipistrello" di Strauss. Galantemente chiese a Eleonora se voleva ballare. Notai qualcosa che mi inquietò: la lunga mano di Oleron cingeva la vita di Eleonora in un modo che non so definire... era come se fosse *la mano di un altro*. Ma era certo una mia impressione, perché Eleonora non era per nulla turbata e ballava, bianca e bellissima tra le braccia di Oleron. Volteggiarono per la stanza, Oleron conduceva con maestria e girarono così forte che alla fine Eleonora si lasciò cadere su una poltrona ridendo.

– Mi gira la testa – disse.

Vidi che era pallida e ansimava. Oleron le teneva una mano.

– Non è nulla – ci rassicurò – è stato il ballo. Ma il cuore le batteva debolmente e dopo un attimo rovesciò la testa all'indietro e svenne.

– Non dovevo farla ballare subito dopo cena – disse Oleron – vado a cercare qualcosa per farla riprendere.

Così rimasi solo con Eleonora, sostenendole la testa. Sembrava dormisse. Il respiro era regolare, ma non rispondeva ai miei richiami. A questo punto sentii dalla stanza vicina un rumore agghiacciante. Era una voce profonda, non umana che sembrava venire dalle viscere della terra: *Il lamento di un mostro sotterrato.*

– Oleron! – gridai.

La porta si aprì e lo vidi. Era mutato. La maschera era caduta e avevo di nuovo davanti il vecchio Oleron, il mostro pallido di quell'ultimo giorno di scuola.

– Egistus, amico mio – disse – quanta messa in scena! Che ridicola commedia. Mi riconosci ora?

– Cosa vuoi fare? – chiesi tremante.

– Io non ho abbandonato la strada – disse Oleron, avanzando verso di me. – E tu ora mi aiuterai a compiere il passo finale. QUELLI vogliono una prova. Non dobbiamo esitare.

– Oleron – dissi – Eleonora sta male... che razza di discorsi stai facendo?

– LEI è la prova, Egistus – gridò Oleron – LEI sarà il nostro dono per gli Immensamente Grandi. Una fanciulla innocente. Ricordi l'illustrazione del primo libro che ti mostrai, Egistus? Ormai dovresti sapere anche tu quali sono le vittime preferite da QUELLI...

– Demonio! – gridai – non toccarla!

– L'ho drogata – proseguì Oleron – con una polvere nel vino. E ora mi aiuterai a portarla di là. QUELLI stanno aspettando e si adirerebbero se lei non arrivasse.

Sentii di nuovo nella stanza quella voce terribile. Decisi in un attimo. Presi la lampada e la lanciai contro Oleron. La scansò, ma la lampada cadendo sulla tovaglia le diede fuoco. Oleron gridò qualcosa che non capii. Presi Eleonora tra le braccia e fuggii fuori. La stanza di Oleron era ormai in preda alle fiamme. Anche lui si trasse in salvo, saltando da una finestra.

La casa bruciò completamente. Ai pompieri raccontai che si era trattato di un incidente. Avevo troppa paura di Oleron ormai. Lo sguardo che mi lanciò quando ci separammo, non potevo dimenticarlo. La sua casa era bruciata e con essa QUALSIASI COSA avesse contenuto. Le ultime parole di Oleron furono:

– Ci rivedremo. QUELLI non amano essere ingannati. E sanno aspettare.

Capirete ora perché esitavo a salire quella scala. A distanza di vent'anni, Oleron riappariva nella mia vita. Come se tutto fosse predestinato. Per anni, dopo quel giorno, avevo

104

ripensato a ciò che era successo. C'era veramente qualcosa (e che cosa?) nella casa di Barcairn? Mi ero convinto col tempo che era stato soltanto il delirio di un ragazzo folle e maniaco che aveva contagiato anche me. Ma ora tutto ritornava, e la ragione non mi sosteneva più contro le ombre che risorgevano in quella notte paurosa.

Aveva smesso di piovere. Se il destino aveva sospinto lì i miei passi, dovevo affrontarlo. Salii gli scalini lentamente. Sullo sfondo della montagna mi apparve una vecchia villa tutta balconi e pinnacoli, con un giardino incolto e statue decapitate. Sotto il tetto alcuni gargoyles a testa di lupo sgocciolavano acqua. Dai finestroni, aperti malgrado il freddo, tende rosso fuoco si muovevano al vento, come se la casa fosse percorsa da una febbre interna. Sentii di nuovo il gemito dell'uccello notturno. Suonai, un rintocco tetro di campana. La porta si aprì e alla luce di una lampada a petrolio, rividi Oleron.

Non era molto cambiato. Lo stesso pallore, gli stessi occhi allucinati. Solo mutamento, due rughe profonde ai lati della bocca e i capelli un po' diradati, ma ancora nerissimi. Sì, il tempo aveva risparmiato Oleron.

– Sono le due di notte – disse senza riconoscermi – si può sapere che cosa vuole?

– Oleron... sono Egistus... siamo stati compagni di scuola...

Oleron alzò la lampada per vedermi meglio e sembrò assai più turbato di me. All'istante si trasformò come nella notte di Barcairn, divenne esageratamente gentile, sembrò addirittura spaventato. Ma questa volta conoscevo il suo gioco.

– Che sorpresa – disse – dopo tanti anni. Ma come sei capitato qui?

– Un incidente. La macchina si è bloccata proprio sotto la tua villa.

– Allora non è la tua volontà... è il caso che ti ha portato – disse Oleron, facendomi accomodare con un gesto cerimonioso.

Non risposi. Oleron accese un'altra lampada sul tavolo e mi apparve una stanza rivestita in palissandro. Due pareti erano occupate da una biblioteca, in cui riconobbi subito i suoi libri preferiti. Alle altre pareti erano appese spade orientali, maschere rituali e due grandi quadri. Una medusa di Rubens e un diavolo tibetano su carta di riso.

Sulla scrivania erano sparsi vecchi manoscritti e il cranio di un animale che non riconobbi. Le tende alle finestre davano al tutto un riflesso sanguigno. Era proprio la casa che avrei potuto immaginare per Oleron.

Mi fece sedere e si informò della mia vita con molta cortesia. Gli rispondevo quasi a monosillabi. Più il mio ospite si sforzava di essere normale, cercando di mettermi a mio agio e più sentivo sospeso su di me un pericolo tremendo. Qualcosa che mi aspettava, in quella casa, da molto tempo.

Gli dissi della mia carriera di giornalista, e lui mi raccontò che dopo aver trascorso alcuni anni in Oriente (a "studiare", sottolineò con un sorriso) era tornato in quella villa, eredità di famiglia, dove viveva solo. Comprava e rivendeva libri rari e la sua vita scorreva "tranquilla e un po' noiosa".

Non credevo a una parola di ciò che mi diceva. Per prima cosa avevo già sentito delle voci non molto lontane. Gli chiesi chi fosse la vecchia della casa di sotto, e come mai conosceva il mio nome.

– La vecchia Linda – rise Oleron – non ricordi la cameriera della casa di Barcairn? È decrepita e mezza pazza, dopo l'incendio che... abbiamo provocato, ma pensa, dopo tanti anni ti ha riconosciuto... La tengo lì per pietà... e c'è anche Machen, l'autista... lo ricordi?

– Io non volevo provocare l'incendio – dissi dopo un lungo silenzio – tu mi hai obbligato a farlo.

Oleron si alzò. Sembrò ascoltare qualcosa proveniente da lontano, poi chiuse una porta di fianco alla biblioteca. Si sedette di fronte a me e parlò con calma.

– Ora che il caso ti ha portato qui Egistus, è bene che ti spieghi cosa avvenne quel giorno: un equivoco, un colossale equivoco... ero un ragazzo un po' folle, con i turbamenti propri di quell'età... pensai... ebbene sì pensai che si sarebbe potuto fare un festino con Eleonora.

– Un festino?

– Certo! Non un sabba diabolico... ancora non capisci? Pensi che fossi così anormale da non provare certi desideri? Dietro il mio gusto per le illustrazioni sadiche con fanciulle discinte non c'era una possessione diabolica, ma qualcosa di assai più comune agli adolescenti... Recitavo sempre, a quei tempi... e quando vidi Eleonora, fui sconvolto... avrei fatto qualsiasi cosa per una ragazza così bella... e pensai che con la paura avrei ottenuto ciò che volevo. Era una cosa sciocca, un po' perversa... ma mi eccitava l'idea.

– Vuoi dire che... volevi farci l'amore? E anche io...

– Esatto. Molte cose potevano succedere quella notte... ma tu non hai voluto – disse Oleron, con tristezza.

Guardò fuori scostando la tenda rossa.

– Io non so se crederti Oleron – dissi – agivi veramente come un pazzo, parlavi di quelle misteriose presenze e...

Mi interruppi. Da qualche parte nella casa avevo sentito levarsi una voce di donna... poi un grido... un ruggito non umano... *come quella sera*!

Scattai in piedi.

– Di là – gridai – cosa c'è di là?

Oleron non batté ciglio: – Non ho sentito niente – disse.

– Oleron, io ho sentito bene. Una voce di donna, spaventata.

Oleron uscì dalla stanza.

– Vado a vedere – disse – ma sono sicuro che ti sbagli.

Restai solo, e dio sa quanto poco tranquillo. Mi aggirai turbato per la stanza. Vidi sulla scrivania quattro pugnali affilatissimi. Uno era ornato di strani disegni e portava inciso questo verso latino: "*Tum cruor et volsae labuntur ab aethere plumae.*" Guardai i libri. Ce n'erano alcuni con illustrazioni veramente terrificanti, l'inferno della letteratura mondiale. Molti erano in cinese, ricoperti di una strana pelle grigia. Un volume mi attrasse particolarmente: era la storia della famiglia Oleron dal 1650. Volevo aprirlo, ma era bloccato da una fibbia con serratura.

Sentii la voce di Oleron: sembrava che gridasse contro qualcuno. Una folata di vento entrò dalla finestra e scompigliò le carte. Non potei fare a meno di gettare gli occhi su una pagina. Riconobbi la scrittura: era di Oleron. Lessi l'inizio:

Di tutti gli orrori che immaginavo, questo è oltre ogni pensiero e ogni immaginazione... ciò che mi è successo non era scritto in alcun libro, in alcuna piega del mantello della notte...

Così mi sorprese Oleron: mentre leggevo il suo diario.

– Vent'anni non ti hanno fatto perdere la confidenza con me, Egistus – disse gelido – visto che stai frugando tra le mie cose.

Mi strappò il libro. Vidi che le sue mani bianche erano ora assai meno curate, rugose e con le unghie stranamente appuntite. Con un'unghia mi ferì.

– Come vedi – sorrise Oleron – difenderò i miei segreti col sangue. Comunque, non c'è nessuno di là. Siamo soli con i nostri fantasmi. Forse arrivano voci dalla casa vicina. A volte l'eco della montagna le porta fin qua.

Ci sedemmo davanti al camino. Accese il fuoco con cura, e mi spiegò che non aveva ancora la luce elettrica, ma l'avrebbe avuta presto. E non aveva telefono, non potevamo perciò chiamare nessuno. Il tempo era brutto: avrei potuto passare la notte lì sul divano, e all'alba sarebbe certo passata qualche macchina.

– Sul divano? – chiesi – non hai altre camere da letto?

– Solo una, la mia – disse Oleron, scomparendo col viso nel cono d'ombra del camino.

Una sola camera da letto in una villa di almeno cinquanta stanze, pensai. No, Oleron, non ti credo: e non mi inganna la tua gentilezza. Non so cosa pensi di fare di me e perché sono capitato qui. Ma so che questa volta scoprirò il tuo mistero.

– Oleron – dissi con tono di sfida – quella notte a Barcairn sentii nella stanza vicina un suono mostruoso... come il lamento di una qualche creatura.

Oleron strinse le labbra e si passò una mano sulla gola, il tono della voce divenne esageratamente allegro.

– Ma certo, ora ricordo: il mio vecchio giradischi... era mezzo guasto, e perdeva giri... un valzer cantato da un orco a diciotto giri, ecco che cos'hai sentito.

Cercò di ridere. Ma stavolta erano i miei occhi a inchiodarlo.

– E quelle ferite che avevi sempre sul collo?

– Non ricordo – disse bruscamente Oleron. – Adesso penso che dovremmo riposare tutti e due. Parleremo dei vecchi tempi domattina. Vado a prenderti una coperta.

Restai di nuovo solo. Aveva ripreso a piovere: andai a chiudere la finestra e (questa volta non era un'illusione!) vidi un'ombra attraversare il prato, dirigendosi verso il retro della casa. Oleron non era solo. E contemporaneamente sentii l'ululato di un animale.

Non veniva da fuori: veniva dall'interno della casa. Lo seguì un grido di donna, chiaro ma lontano, come provenisse da una stanza sotterranea. Il sangue mi si gelò nelle vene. Ero ormai sicuro che Oleron mi nascondesse qualcosa di orribile. Mi tornarono in mente le sue parole di vent'anni prima: "Quelli non amano essere ingannati. E sanno aspettare."

La porta si aprì lentamente. Dal buio emerse qualcosa che muoveva un'ala gigantesca. Gridai, con tutta la forza che avevo in corpo.

Quando il "qualcosa" entrò nella zona di luce della lampada, vidi che era Oleron, che reggeva una coperta, come una muleta da torero. Uno scherzo crudele che ne annunciava altri ben più terribili?

– Hai i nervi a pezzi Egistus... proprio non riesco a convincerti di essere un tranquillo gentiluomo di campagna. Mi credi veramente un mostro?

Guardai le sue mani bianche, appoggiate al bracciolo del

divano, la bocca crudele, le sopracciglia come ali di uccello. Il rumore della pioggia si era fatto più forte.

– Dimmi la verità, Oleron – dissi.

Non mi guardò. Fissò il palpitare delle tende rosse alle finestre da cui continuava a entrare un vento freddo.

– Ci sono persone che possono conoscere la verità e altre che la verità spezza – disse. – Ne vedesti alcune un giorno in un cortile. Allora sperai che tu potessi percorrere la mia strada. Sbagliavo: anche tu preferisci la luce alle ombre. La notte non sarà mai la tua padrona. Ma non sfidarla!

Si era avvicinato a pochi centimetri dal mio viso. Gli occhi brillavano. Occhi non umani.

– Non ti dirò la verità perché essa è al di sopra della forza del tuo cuore. Credo che faresti meglio ad andartene subito, Egistus.

La sua voce era diventata ancor più roca e grave, come se qualcosa stesse mutando nella sua gola. Ero terrorizzato, ma avevo solo una via d'uscita: sapere.

– Resterò qui stanotte, Oleron.

– Stai attento, Egistus – disse. Mi sembrò che la sua figura si rattrappisse. – Non uscire da questa stanza per nessun motivo. Questo è l'ultimo consiglio che ti do. Per nessun motivo!

Appena Oleron fu uscito, il lume sul tavolo si affievolì, come soffocato da una mano gelida.

Di nuovo ero solo nella stanza, in preda a un'angoscia intollerabile. Una parte di me voleva fuggire, l'altra mi teneva inchiodato a quel luogo; mi diceva che se non avessi scoperto la verità non avrei più avuto pace. Era forse giunto il momento che attendevo da vent'anni, da quando Oleron era entrato, uccello notturno, nel giorno della mia giovinezza. Forse anche da prima. Da quando, fanciullo spaventato, ascoltavo la canzone del vecchio:

Il giorno gioca con te, poi ti abbandona
sarà la notte la tua padrona.

Osservavo la stanza di Oleron, i suoi libri, lo sguardo della Medusa, le tende rosse che forse erano le stesse della casa di Barcairn. Fui invaso da un'infinita pena per la tristezza di quella vita, per quella solitudine di tomba che nessuna grandezza avrebbe mai potuto veramente illuminare, neanche quella dei poeti, degli scrittori che sembravano gli unici compagni di strada di Oleron.

Fuori, tra il disegno fitto degli alberi, mi sembrò di vedere in lontananza le luci di Badle. Forse sarebbe stato meglio partire. Credere che quanto mi aveva detto Oleron sulla notte dell'incendio fosse vero. Credere di aver immaginato tutto. Ma proprio in quel momento feci una scoperta che dissolse i miei dubbi. Dalla finestra aperta vidi, a cento metri dalla casa, i pali delle linee elettriche e telefoniche.

Uscii nel buio. La pioggia si era fatta rada e leggera. Soffiava un vento freddo, odoroso d'erba. Scrutai il muro della casa e vidi subito i fili di collegamento. Era certo: Oleron aveva recitato. Mi aveva chissà perché accolto con la lampada a petrolio, mentre aveva la luce elettrica. E aveva detto di non aver telefono, perché voleva che quella notte io restassi nella sua casa!

Girai intorno alla villa. Ricordai che la vecchia aveva detto che per nessun motivo dovevo entrare dalla porta posteriore. Un avvertimento o un'indicazione? Fu proprio lì che mi diressi. Ormai non esitavo più: mi trovavo in quello stato di particolare lucidità senza pensieri che accompagna l'uomo nei momenti di estremo pericolo. Spinsi il battente, una testa di lupo con due occhi di zircone: con mio stupore, la porta si aprì. Un breve corridoio portava a un'altra porta, che lasciava filtrare una luce azzurra. Sentii distintamente provenire dall'interno l'ansito di un animale, e poi un cupo rantolo. Il momento era giunto. Aprii di colpo, e vidi!

Vidi una stanza arredata modernamente in colori pastello, con ampi divani di pelle bianca, tavoli bassi e quadri astratti alle pareti. Sul divano una donna con una vestaglia di seta, ingioiellata in modo ridicolo, guardava la televisione. Aveva i capelli tinti di rosso ed era grassa e abbronzatissima. Vicino a lei sul divano dormivano due ragazzi, floridi come lei. La donna mi scrutò e poi parlò con voce acuta e affettata:

– Mi ha quasi spaventata... immagino che lei sia l'ospite di Oleron. Lieta di conoscerla: sono la contessa Oleron, sua moglie.

Inutile dire che non riuscii a spiccicare parola. Guardavo quella stanza, quella donna e pensavo se questo poteva essere un altro trucco sulla strada di qualche orribile rivelazione. Ma no! Quella era proprio una normale signora d'alto bordo che esibiva i suoi gioielli alle due di notte davanti a un televisore su cui andava in onda *un film dell'orrore*! Ecco perché gli ululati, le grida misteriose. Mi mancò il fiato.

La donna continuava a parlare, sgranando gli occhi. Le dispiaceva di averci disturbato prima, quando Oleron era venuto a sgridarla perché teneva il volume della tivù alto, immagino abbiate tante cose da dirvi dopo vent'anni, certo le amicizie di scuola sono quelle che durano di più, lei avendo studiato in Svizzera aveva perso i contatti, ma se teneva la televisione alta era perché non ci sentiva bene da due giorni, un fastidio all'orecchio, ero forse medico? A volte non ci sentiva da uno a volte dall'altro, è strano no? forse è una cosa ereditaria in quanto anche i bambini soffrono di otite, Selvaggia e Bartolomeo li vede stravaccati qui, se non guardano la televisione non si addormentano, delle volte ci addormentiamo tutti e quattro e la tivù resta accesa, sarebbe finita così anche stasera se non arrivava lei, perché Oleron non si perde mai i film dell'orrore, ha tutte le videocassette, a me non è che mi entusiasmino preferisco la sofisticated comedy, comunque meglio che mio marito stia qua davanti alla tivù, piuttosto che in quello studio funereo, lei non sa quante volte ho provato a cambiargli la mobilia, una volta ho provato anche a sostituirgli la scrivania gliene ho messa una in bachelite bianca, splendida, ma lui niente vuole vivere tra le sue mummie con quella mania della lampada a petrolio e quei libracci, ma per il resto è un buon uomo, cosa vuole ognuno ha il suo hobby basta che non faccia entrare lì i clienti perché come avvocato ha dei grossi clienti e quelli esigo che li riceva nell'altro ufficio, quello l'ho messo a posto io glielo mostrerò tutti mobili svedesi e moquette color perla, se l'immagina dover parlare di affari in mezzo a quei libri funebri e quei quadri, scapperebbero via tutti, ieri avevamo qui il dottor Wantel il presidente del Rotary e Oleron era un po' ubriaco e diceva vieni a vedere il mio studio segreto, Wantel ci è andato e quando è tornato, pardon la volgarità, si toccava lei capisce dove, per il resto Ole è un brav'uomo, meglio una mania così che, non so, le donne, beve qualcosa signor... signor?

L'arrivo di Oleron interruppe quel monologo. Uno dei bambini si svegliò e come un sonnambulo uscì dalla stanza.

Oleron mi guardò. Era in pigiama, un pigiama a righe azzurre. Si accasciò sul divano. Non riuscivo a guardarlo. La contessa continuava a parlare, parlare. Non ascoltavo. Mi alzai di scatto e dissi:

– Bene, signora... ora che ho avuto il piacere di conoscerla, devo ripartire...

– Ma come! – disse la contessa. – Mio marito mi aveva detto che lei si sarebbe fermato qui, stanotte...

– Mi passeranno a prendere alcuni amici di Badle – dissi – traineremo la macchina con un cavo.

– La macchina? Ma Ole, non mi avevi detto nulla...

Uscimmo in fretta, sotto l'ultima raffica di parole. Camminammo a lungo sull'erba bagnata. Il cielo si era rischiarato: le luci della città erano ben visibili. Oleron parlò.

– Così ora sai. Non devo più recitare. È vero, sono un tranquillo avvocato di provincia, con una moglie noiosa, due figli, amici stupidi, ore vuote. Questo è l'orrore che non mi attendevo. QUELLI non si sono mostrati. Non mi hanno scelto. E quando sono arrivati, erano molto diversi da come li immaginavo sui banchi di scuola. Ora mi occupo di matrimoni, eredità, e un giudice decide per me il bene e il male. Ogni tanto mi chiudo a leggere nella mia biblioteca. Bevo. Ho quarant'anni e i polmoni malati. Tutto qui.

– Perché questa commedia allora?

– Tu ricordavi un giovane demonio. L'equivoco di quella notte a Barcairn mi aveva dato su di te un insperato potere. Ero infelice e ardente allora, ma in tutto ciò che facevo c'era speranza. Tutto ciò che potevo sognare, anche se orribile, lo amavo. Era la mia ricchezza. Ho pensato che recitando ancora una volta, almeno tu mi avresti ricordato come ero in quei giorni. Quando sei entrato da quella porta, per nessun motivo avrei voluto che tu scoprissi la verità. Cosa ne era di Oleron, vent'anni dopo. Ora che hai visto capirai, e mi perdonerai.

Disse queste parole con tono distante, indifferente. Mi sembrò vecchissimo.

– Ecco dove portava la strada, Egistus. Grazie della tua amicizia.

Così lo vidi per l'ultima volta, un signore magro che camminava sull'erba in pigiama e veste da camera.

– Il mio autista ha riparato la tua auto – disse – puoi ripartire.

Ci salutammo.

L'auto brillava, bagnata sotto la luna. Misi subito in moto. Guardai su verso la villa, ma tutte le luci erano spente, e non riuscii neppure a vederla, nell'intrico degli alberi. Il libro di Oleron era chiuso. L'ultima pagina toccava a me.

Arrivò a Badle che era l'alba. Il portiere dell'albergo lo accolse eccitato.

– L'aspettavamo per mezzanotte – disse – la signorina Lea era molto preoccupata.

– Sono rimasto bloccato nella strada di Valle dell'Ombra – disse il giornalista.

– Accidenti. Certo di peggio non poteva capitarle. È completamente disabitata.

– Non completamente. Fortuna ha voluto che mi fermassi proprio sotto villa Oleron. L'avvocato era un mio compagno di studi. Mi hanno aiutato a ripartire.

Il portiere dell'albergo distolse lo sguardo.

114

– Capisco signore... mi dispiace – disse.

– Le dispiace cosa?

– Che l'avvocato Oleron fosse suo amico.

– Perché "fosse"?

Il portiere lo guardò sorpreso.

– Il signore mi prende in giro? Non conosce forse la storia?

Il giornalista rabbrividì e riuscì a dire:

– Me l'hanno appena accennata...

– L'avvocato Oleron, una notte di tre anni fa, dopo aver ucciso la moglie e i due figli, si è dato fuoco, nella sua casa. È rimasta solo la dépendance con due vecchi servitori. Sembra che nella villa ci fosse una biblioteca di grande valore, quadri antichi e libri... strani... oggetti misteriosi, magici, io non me ne intendo. Tutto è andato distrutto dalle fiamme. Nessuno se l'aspettava. L'avvocato sembrava una persona così a posto... così normale... Ma certo lei lo conosceva meglio di me...

LA TRAVERSATA DEI VECCHIETTI

> I vecchi dovrebbero essere esploratori...
> (THOMAS S. ELIOT)

C'erano due vecchietti che dovevano attraversare la strada. Avevano saputo che dall'altra parte c'era un giardino pubblico con un laghetto. Ai vecchietti, che si chiamavano Aldo e Alberto, sarebbe piaciuto molto andarci.

Così cercarono di attraversare la strada, ma era l'ora di punta e c'era un flusso continuo di macchine.

– Cerchiamo un semaforo – disse Aldo.

– Buon'idea – disse Alberto.

Camminarono finché ne trovarono uno, ma l'ingorgo era tale che le auto erano ferme anche sulle strisce pedonali.

Aldo cercò di avanzare di qualche metro, ma fu subito respinto indietro a suon di clacson e male parole. Allora disse: proviamo a passare in un momento in cui tutti sono fermi. Ma l'ingorgo era tale che, anche se i vecchietti erano magri come acciughe, non riuscirono a passare. Anzi Aldo rimase incastrato in un parafango e il proprietario dell'auto scese tutto arrabbiato, lo prese sotto le ascelle, lo strappò via e non sapendo dove metterlo lo posò sul cofano di un'altra auto.

– Eh no, qua no – disse il proprietario della seconda auto, lo sollevò e lo depositò sul tetto di un camioncino.

Così una botta alla volta Aldo stava quasi per arrivare

117

dall'altra parte della strada. Ma l'uomo del camioncino mise la freccia a destra e bestemmiando e insultando riuscì a attraversare la strada e posteggiò nel solito lato, quello da cui erano partiti i vecchietti.

Era quasi sera quando a Aldo venne un'altra idea.

– Mi sdraio in mezzo alla strada e faccio finta di essere morto – disse – quando le auto si fermano tu attraversi veloce, poi mi alzo e passo io.

– Non possiamo fallire – disse Alberto.

Allora Aldo si sdraiò in mezzo alla strada, ma arrivò un'auto nera e non frenò, gli diede una gran botta e lo mandò quasi dall'altra parte della strada.

– Forza che ce la fai! – gridò Alberto.

Ma passò una grossa moto e con una gran botta rispedì Aldo dalla parte sbagliata. Il vecchietto rimbalzò in tal modo tre o quattro volte e alla fine si ritrovò tutto acciaccato al punto di partenza.

– Che facciamo? – chiese.

– Dirottiamo una bicicletta – disse Alberto.

Così aspettarono che un terzo vecchietto passasse in bicicletta e balzarono sul sellino (ci stavano perché erano molto magri tutti e tre). Aldo puntò la pipa contro la schiena del terzo vecchietto che si chiamava Alfredo e disse:

– Vai a sinistra o guai a te!

– A sinistra? Ma io devo andare dritto.

– Vai – disse Aldo – o ti riempio di tabacco.

Alfredo non comprese bene la minaccia, però si spaventò e cercò di voltare a sinistra, ma piombò una Mercedes che li centrò in pieno. Arrivò la polizia.

– Com'è successo? – chiese.

– Io sono l'onorevole De Balla – disse quello della Mercedes.

– Allora può andare – disse il poliziotto – e voi, cosa avete da dire a vostra discolpa?

– Volevamo attraversare la strada – dissero i tre vecchietti.

– Senti questa! – disse il poliziotto – Ah, gli anziani d'oggi! Imprudenti. C'è troppo traffico e siete vecchi e malandati.

– La prego, ci faccia attraversare – disse Aldo.

– Dobbiamo andare ai giardini – disse Alberto.

– Se no mi riempiono di tabacco – disse Alfredo.

– Neanche per sogno, vi riaccompagno indietro. Da dove vi siete mossi? – disse il poliziotto.

– Da lì – disse Alberto indicando il marciapiede che volevano raggiungere.

– Allora vi ci riporto, e guai se cercate ancora di attraversare – disse il poliziotto.

Così con la scorta della polizia i tre vecchietti riuscirono a passare dall'altra parte e poi arrivarono al giardino.

C'era veramente un bel laghetto. Si trovarono così bene che non riattraversarono mai più.

LA STORIA DI PRONTO SOCCORSO E BEAUTY CASE

> Quando il gioco diventa duro
> i duri incominciano a giocare.
> (JOHN BELUSHI)

Il nostro quartiere sta proprio dietro la stazione. Un giorno un treno ci porterà via, oppure saremo noi a portar via un treno. Perché il nostro quartiere si chiama Manolenza, entri che ce l'hai ed esci senza. Senza cosa? Senza autoradio, senza portafogli, senza dentiera, senza orecchini, senza gomme dell'auto. Anche le gomme da masticare ti portano via se non stai attento: ci sono dei bambini che lavorano in coppia, uno ti dà un calcio nelle palle, tu sputi la gomma e l'altro la prende al volo. Questo per dare un'idea.

In questo quartiere sono nati Pronto Soccorso e Beauty Case. Pronto Soccorso è un bel tipetto di sedici anni. Il babbo fa l'estetista di pneumatici, cioè ruba gomme nuove e le vende al posto delle vecchie. La mamma ha una latteria, la latteria più piccola del mondo. Praticamente un frigo. Pronto è stato concepito lì dentro, a dieci gradi sotto zero. Quando è nato invece che nella culla l'hanno messo in forno a sgelare.

Fin da piccolo Pronto Soccorso aveva la passione dei motori. Quando il padre lo portava con sé al lavoro, cioè a rubare le gomme, lo posteggiava dentro il cofano della macchina. Così Pronto passò gran parte della giovinezza sdraiato in mezzo ai pistoni, e la meccanica non ebbe più misteri per lui. A sei anni si costruì da solo un triciclo azionato da un frullatore. Faceva venti chilometri con un litro di frappé: dovette smontarlo quando la mamma si accorse che le fregava il latte.

Allora rubò la prima moto, una Guzzi Imperial Black Mammuth 6700. Per arrivare ai pedali guidava aggrappato sotto al serbatoio, come un koala alla madre: e la Guzzi sembrava il vascello fantasma, perché non si vedeva chi era alla guida.

Subito dopo Pronto costruì la prima moto truccata, la Lambroturbo. Era una comune lambretta ma con alcune modifiche faceva i duecentosessanta. Fu allora che lo chiamammo Pronto Soccorso. In un anno si imbussò col motorino duecentoquindici volte, sempre in modi diversi. Andava su una ruota sola e la forava, sbandava in curva, in rettilineo, sulla ghiaia e sul bagnato, cadeva da fermo, perforava i funerali, volava giù dai ponti, segava gli alberi. Ormai in ospedale i medici erano così abituati a vederlo che se mancava di presentarsi una settimana telefonavano a casa per avere notizie.

Ma Pronto era come un gatto: cadeva, rimbalzava e proseguiva. A volte dopo esser caduto continuava a strisciare per chilometri: era una sua particolarità. Lo vedevamo arrivare rotolando dal fondo della strada fino ai tavolini del bar.

– Sono caduto a Forlì – spiegava.

– Beh, l'importante è arrivare – dicevo io.

Beauty Case aveva quindici anni ed era figlia di una sarta e di un ladro di Tir. Il babbo era in galera perché aveva rubato un camion di maiali e lo avevano preso mentre cercava di venderli casa per casa. Beauty Case lavorava da aspirante parrucchiera ed era un tesoro di ragazza. Si chiamava così perché era piccola piccola, ma non le mancava niente. Era tutta curvettine deliziose e non c'era uno nel quartiere che non avesse provato a tampinarla, ma lei era così piccola che riusciva sempre a sgusciar via.

Era una sera di prima estate, quando dopo un lungo letargo gli alluci vedono finalmente la luce fuori dai sandali. Pronto Soccorso gironzolava tutto pieno di cerotti e croste sulla Lambroturbo e un chilometro più in là Beauty mangiava un gelato su una panchina.

Aggiungo tre particolari:

Uno: in estate Beauty portava delle minigonne che la mamma le faceva con le vecchie cravatte del babbo. Con una cravatta gliene faceva tre.

Due: quando Beauty si sedeva, accavallava le gambe come neanche la più topa delle top model, le accavallava che una faceva le carezze all'altra, e aveva delle bellissime gambe con la caviglia snella e scarpini rossi con un tacco che ti si infilzava dritto nel cuore.

Tre: quando Beauty leccava un gelato, tutto il quartiere si fermava. Avete presente il film quando Biancaneve canta nella foresta, e si ritrova intorno tutti i coniglietti e i daini e le tortore e i pappataci che cantano con lei? Bene, la scena era uguale, con Beauty al centro che leccava il suo misto da mille e tutto intorno ragazzini ragazzacci e vecchioni che muovevano la lingua a tempo, perché venivano tutti i pensieri del mondo, dai quasi casti ai quasi reato.

Allora, dicevamo che era una sera di prima estate e gli uccellini stavano sugli alberi senza cinguettare perché col casino che faceva la moto di Pronto era fatica sprecata. Si udì da lontano la famosa accelerata in quattro tempi andante mosso allegretto scarburato e poi Pronto arrivò nel vialetto dei giardini guidando senza mani e con un piede che strisciava per terra, se no non era abbastanza pericoloso. Vide Beauty e cacciò un'inchiodata storica. L'inchiodata per la verità non ci fu perché, per motivi di principio, Pronto non frenava mai. La prima cosa che faceva quando truccava un motorino era togliere i freni. "Così non mi viene la tentazione" diceva.

Quindi Pronto andò dritto e finì sullo scivolo dei bambini, decollò verso l'alto, rimbalzò sul telone del bar, finì al primo piano di un appartamento, sgasò nel tinello, investì un frigorifero, uscì nel terrazzo, piombò giù in strada, carambolò contro un bidone della spazzatura, sfondò la portiera di una macchina, uscì dall'altra e si fermò contro un platano.

– Ti sei fatto male? – disse Beauty.

– No – disse Pronto. – Tutto calcolato.

Beauty fece "ah" con la lingua mirtillata in bella vista. Restarono alcuni istanti a guardarsi, poi Pronto disse:

– Bella la tua minigonna a pallini.

E Beauty disse:

– Belli i tuoi pantaloni di pelle.

Quali pantaloni? stava per chiedere Pronto. Poi si guardò le gambe: erano talmente piene di crostoni, cicatrici e grattugiate sull'asfalto che sembrava avesse le braghe di pelle. Invece aveva le braghe corte.

– Sono un modello Strade di Fuoco – disse. – Vuoi fare un giro in moto?

Beauty ingoiò il gelato in un colpo solo, che era il suo modo per dire di sì. Mentre saliva sulla moto, roteò la gamba interrompendo la pace dei sensi di diversi vecchietti. Poi si strinse forte al petto di Pronto e disse:

– Ma tu la sai guidare la moto?

A quelle parole Pronto fece un sorriso da entrare nella storia, sgasò una nube di benzoleone e partì zigzagando contromano. Chi lo vide, quel giorno, dice che faceva almeno i duecentottanta. La forza dell'amore! Si sentiva il rumore di quel tornado che passava, e non si vedeva che un lampo di stella filante. Pronto curvava così piegato che invece dei moscerini in faccia doveva stare attento ai lombrichi. E Beauty non aveva neanche un po' di paura, anzi strillava di gioia. Fu allora che lui capì che era la donna della sua vita.

Quando Pronto arrivò davanti a casa di Beauty, impennò la moto e Beauty volò attraverso la finestra, precisa sulla poltrona del salotto. La mamma se la vide davanti e disse:

– Dov'eri che non ti ho neanche sentita rientrare?

In quello stesso momento si udì il rumore di Pronto che si fermava contro la saracinesca di un garage. Si tirò su: la moto aveva perso una ruota e il serbatoio. Roba da ridere: si riempì la bocca di benzina e tornò a casa su una ruota sola sputando un sorso alla volta nel carburatore.

Si stese sul letto e dichiarò a quattro scarafaggi:

– Sono innamorato.

– E di chi? – chiesero quelli.

– Di Beauty Case.

– Bella gnocca – dissero in coro gli scarafaggi, che dalle nostre parti parlano piuttosto colorito.

La sera dopo Pronto e Beauty uscirono di nuovo insieme. Dopo trenta secondi Pronto chiese se poteva baciarla. Beauty ingoiò il gelato.

Iniziarono a baciarsi alle nove e un quarto e stando ad alcuni testimoni il primo a respirare fu Pronto alle due di notte.

– Baci bene, dove hai impara... – voleva dire, ma Beauty gli si era incollata di nuovo e finirono alle sei di mattina.

Quando tornò a casa e la mamma chiese "Cos'hai fatto con quel ragazzo del motorino?" Beauty disse: "Niente mamma, solo due baci." Non mentiva, la ragazza.

Così l'amore tra i due illuminò il nostro quartiere, e ci sentivamo così felici che quasi non rubavamo più.

Sì, eravamo tutti dei cittadini modello o quasi, finché un brutto giorno non arrivò nel quartiere Joe Blocchetto, l'asso degli agenti della Polstrada. Arrivò con la divisa di cuoio nera, stivali sadomaso e occhiali neri. Sopra il casco portava la scritta: "*Dio sa ciò che fai ogni ora, io quanto fai all'ora.*"

Ogni motorizzato della città tremava quando sentiva il nome di Joe Blocchetto. Non c'era mezzo al mondo che lui non avesse multato. Quando capitava in una strada dove c'erano auto in sosta vietata, estraeva il blocchetto e sparava multe come un mitra. Tutti, prima di parcheggiare, guardavano se Joe Blocchetto sostava nei paraggi. Se non c'era, facevano la marcia indietro e quando si voltavano trovavano già la multa sul tergicristallo. Così colpiva veloce e invisibile Joe Blocchetto, l'uomo che aveva multato un carro armato perché non aveva i cingoli di scorta.

Joe arrivò una sera nel quartiere sulla sua Misubishi Mustang blindata, una moto giapponese da duecento all'ora. Al suo passaggio i tergicristalli delle auto si rattrappivano per la paura, e le gomme si sgonfiavano. Posteggiò davanti al bar ed entrò. Si sfilò lentamente i guanti guardandoci con aria di sfida. Alla cintura gli vedemmo i due blocchetti per le multe, calibro cinquantamila.

– Qualcuno di voi – disse – conosce un certo Pronto Soccorso che si diverte a correre da queste parti?

Nessuno rispose. Nel silenzio Blocchetto fece risuonare gli stivali sul pavimento, e si fermò alle spalle di un giocatore di carte.

– Lei è il signor Podda Angelo, proprietario di un'auto targata CRT 567734?

– Sì – ammise il giocatore di carte.

– Tre anni fa io la multai perché aveva le gomme lisce. Dissi che se non le cambiava la prossima volta le avrei ritirato la patente.

Nulla sfuggiva alla memoria di Joe Blocchetto.

– Allora – incalzò l'agente, implacabile – vuole dirmi dove posso trovare Pronto Soccorso o andiamo a dare una controllatina alla sua auto?

– Parlerò – disse il giocatore. – Pronto passa tutte le sere all'incrocio di via Bulganin con la quarantaduesima.

Era la verità. Dopo essere andato a prendere Beauty, tutte le sere Pronto attraversava il grande incrocio. Passava col rosso a una velocità vicina ai centocinquanta, con Beauty dietro che sventolava come un fazzoletto.

A quell'incrocio si mise in agguato Joe Blocchetto. Nascondersi era una sua specialità. Sul cavalcavia proprio sopra l'incrocio c'era il cartellone pubblicitario di uno spumante. Lo slogan diceva: "Sapore per pochi." Era una foto di nobiluomini e nobildonne che sorseggiavano coppe in un grande giardino. Sullo sfondo una villa settecentesca, e sullo sfondo ancora le officine Bazzocchi fumanti e puzzolenti: quella non era pubblicità, era il nostro quartiere. Appena messo su il cartellone era stato affumicato dai miasmi industriali, e i nobiluomini e le nobildonne erano neri di polvere e intossicati e sembravano dire: meno male che è un sapore per pochi. Guardando bene la fotografia, tra i signori in smoking e le signore in lungo, si poteva notare dietro il buffet un volto inconfondibile con gli occhiali neri. Era Joe Blocchetto mimetizzato.

Quella sera come tutte le sere Pronto Soccorso passò sotto la finestra di Beauty e la chiamò con un fischio. Beauty si lanciò dalla finestra atterrando sulla moto. Erano ormai abilissimi in questa manovra. Quando arrivarono all'incrocio, il semaforo era rosso. Appena Pronto lo vide lanciò la moto a tutta manetta. Fu allora che ci fu movimento nel cartellone pubblicitario e si vide Joe Blocchetto farsi largo tra la gente in abito da sera, ribaltare un vassoio di bicchieri e saltar giù nella strada.

Mancavano meno di cento metri all'incrocio. Pronto vide Joe attenderlo coi due blocchetti di multe puntati e non esitò. Frenò con i piedi e fece girare la Lambroturbo su se stessa. Mentre la moto ruotava vertiginosamente e mandava scintille, continuava a frenare con tutto: con le mani, con la borsetta di Beauty, con le chiappe, con un cacciavite che piantava nell'asfalto, con i denti. Uno spettacolo impressionante: il rumore era quello di una fresa, volavano in aria pezzi di strada e brandelli di moto. Ma Pronto Soccorso fu grande. Con un'ultima sbandata azzannò l'asfalto e si fermò esattamente con la ruota sulla striscia pedonale.

Joe Blocchetto ingoiò la bile e si avvicinò lentamente. La moto fumava come una locomotiva e le gomme erano fuse. Joe Blocchetto girò un po' intorno e poi disse:

– Gomme un po' lisce, vero?

– Quella moto le ha più lisce di me – disse Pronto.

– Quale moto? – disse Blocchetto, e si girò. Quando si rigirò Pronto aveva già montato due gomme nuove.

Ma Blocchetto non si diede per vinto.

– Su questa moto non si può andare in due.

– E mica siamo in due.

Era vero. Non c'era più traccia di Beauty. Joe Blocchetto la cercò sotto il serbatoio, ma non la trovò. Beauty si era infilata nella marmitta. Ma non resistette al calore e dopo un po' schizzò fuori mezzo arrostita.

Joe Blocchetto lanciò un urlo di trionfo.

– Duecentomila di multa più il ritiro della patente più le responsabilità penali con la signorina minorenne. Hai chiuso con la moto, Pronto Soccorso!

Dal cavalcavia dove osservavamo la scena, rabbrividimmo. Pronto senza moto era come un fiore senza terra. Sarebbe avvizzito. E con lui quell'amore di cui tutti eravamo fieri. Che fare?

Joe aveva già appoggiato la penna sul blocchetto fatale quando sentì un rumore di clacson. Si voltò e...

Tutta la strada era piena di auto. Alcune erano posteggiate contromano, altre sul marciapiede: c'era chi l'aveva messa verticale appoggiata a un albero, chi sopra il tetto di un'altra. Due auto erano posteggiate a sandwich intorno alla moto di Joe Blocchetto, una stava a ruote all'aria in mezzo al ponte con la scritta "Torno subito". Due camionisti facevano a codate con i rimorchi in mezzo allo svincolo dell'autostrada. I vecchi del quartiere erano usciti con biciclette anteguerra e guidavano chi senza mani, chi con un piede sul manubrio, chi in gruppi piramidali di cinque: sembrava il carosello dei carabinieri. Completavano il quadro una vecchietta che guidava una mietitrebbia e sei gemelli su una bicicletta senza freni.

Joe Blocchetto prese a tremare come se avesse la malaria. Era in aspra tenzone con se stesso. Da una parte c'era Pronto in trappola, dall'altra la più spaventosa serie di infrazioni mai vista a memoria di vigile. La mascella gli andava su e giù come un pistone.

Ed ecco che gli passò vicino un cieco su una Maserati rubata senza marmitta, gli sgasò in faccia e disse:

– Ehi pulismano, dov'è una bella strada frequentata da far due belle pieghe a tutta manetta?

Joe Blocchetto si portò il fischietto alla bocca, ma non riuscì a cavarne alcun suono. Stramazzò al suolo. Avevamo vinto.

Ora Joe Blocchetto è stato dimesso dal manicomio e dirige un autoscontro al Luna-Park.

Pronto e Beauty si sono sposati e hanno messo su un'officina.

Lui trucca le auto, lei le pettina.

SHIMIZÉ

> In nessuna lingua è difficile intendersi come
> nella propria lingua.
>
> (KARL KRAUS)

C'era un oshammi shammi che viveva in una weseshe-shammi in cima a una wooba. Venne una notte un oogoro e disse all'oshammi shammi:

– Shimì non voglio né la tua corona né il tuo bastone, voglio la tua shammizé.

– De shimite deé – rise l'oshammi shammi – cerca pure. Se vedi qua nella weseshe la mia shammizé, prendila pure.

L'oogoro frugò in lungo e in largo tutta la weseshesham-mi e alla fine vide una woolanda e trionfante gridò:

– Shimì, eccola qui, l'ho trovata.

– Sei furbo come il tsezehé dalle lunghe orecchie – disse l'oshammi shammi – l'hai trovata ed è tua.

L'oogoro corse giù dalla wooba cantando e ridendo:

– Ho una shammizé! Per tutta la vita shimideé, avrò una shammizé!

Sulla strada incontrò un vecchio woorogoro.

– Shimì woro, ti piace? – disse l'oogoro – guarda, ti piace la mia shammizé?

– Woof – disse l'orogoro – stupido come uno tsezehé!

Non vedi che quella che tieni tra le braccia è una woolanda?

Alla luce della luna l'oogoro guardò bene, vide il suo errore e se ne andò tzuke shimite no shimé, triste come chi ha perso il nome delle cose.

PRISCILLA MAPPLE E IL DELITTO DELLA II C

> – Intendo dire – disse Alice – che uno non
> può fare a meno di crescere.
> – *Uno* forse non può – disse Humpty
> Dumpty – ma *due* possono. Con un aiuto
> adeguato, tu avresti potuto fermarti a sette
> anni.
>
> (LEWIS CARROLL)

Vi è mai capitato di sentirvi vecchi mille anni, avendo già visto e vissuto tutto ciò che è possibile su questa terra, e immaginare tutti uguali in fila i giorni che verranno, copie sbiadite di un unico giorno consumato e logoro?

Vi è capitato? Beh, certo non pretendo di essere la sola. Ma io ho dodici anni. Non è un po' presto?

Così pensava Priscilla Mapple all'ultima ora nel banco penultimo della classe seconda C, mentre il professore cercava invano di riscaldare l'uditorio con il racconto della costruzione delle piramidi egizie.

Tanta fatica, pensò Priscilla, per lasciare un segno. Bastava che mettessero delle grandi pietre alla rinfusa e ci avremmo pensato noi posteri a sostenere che erano le rovine di un tempio colossale, mirabile prodigio di architettura ahimè perduto.

Noi posteri! Priscilla guardò la sua classe sconsolata. Nessuno lì dentro avrebbe sfidato i secoli, a malapena qualcuno avrebbe lasciato traccia di sé in un Rotary.

Era una classe della scuola più esclusiva della città. Sangue nobile e ricchi plebei, aristocratici e solvibili avevano là convogliato la miglior prole. Eppure non aveva visto la luce nessun Blaue Reiter o via Panisperna o Parnasse, nessun movimento era nato se non quello eterno della testa delle gemelle Secchia che annuivano in sincronia dal primo banco. Annuivano sempre: qualsiasi cosa l'insegnante dicesse, anche "che caldo oggi", "che stronze che siete", loro erano d'accordo.

Nel banco dietro alle gemelle, stremate da due ore di pettegolezzi e due di tema, si poteva ammirare un'altra coppia di fanciulle, occasionalmente silenziose. A sinistra Lavinia, detta tacchinella per la gradevolezza della sua voce, non geniale in materie umanistiche, ma grande intenditrice di jeans e scarpe. A destra Boba, biondastra e abbronzata, campionessa di tennis, di nome intero Roberta Torroni del Malcello, la quale a dodici anni aveva già al suo attivo diverse plastiche al naso.

Nel banco dietro, florida e solitaria Priscilla Mapple, genio perverso, temutissima dagli insegnanti, otto in tutte le materie ma purtroppo senza fatica alcuna, grande lettrice di gialli e dotata di quell'intelligenza naturale e ironica che fa incazzare i professori specie se uomini.

Dietro di lei Maria Cristina, detta impietosamente Crostina per i brufoli, alta e seria, destinata a un futuro di magistrata. Al suo fianco Rosabella, tredici anni di sex-appeal, minigonne di cuoio e calzine fumé, uno stuolo di pretendenti dai dodici ai venti anni, più due bruti fuori quota.

Nella fila destra, l'onor virile. In prima fila Saverio detto Ciccio, detto Ridimmelo, perché non capiva mai la prima volta, innamorato delle belle forme di Priscilla.

Nel secondo banco Giorgino figarino, elegante in completo di camoscetto, fidanzato di Lavinia, ma si dice la tradisca con una quattordicenne di Firenze ramo boutiques. Al suo fianco Ettorino Assianatis, assai biondo e ricco e cattolico, famoso per le sue cartelle di cuoio da mezzo milione.

Nel banco dietro Leopoldo Lollis, primo della classe, esperto del ramo computer e nemico giurato di Priscilla. Al suo fianco René la Ranocchia, lo scolaro più raccomandato d'Europa, occhialuto e triripetente, figlio di industria conserviera, grande masturbatore anche in ore di lezione.

Dietro a tutti Carletto, detto il Kid. Capitato lì a metà trimestre per chissà quale disguido. Teppista e autostoppista, senza alcuna tradizione né intenzione di studio, bruno col ciuffo, l'unico che a Priscilla piaceva, anche se non tanto da essere un vero rivale delle meringhe.

Tutta qui la seconda C. Assenti e non rimpianti una malata e un vacanziere. Classe noiosa, conformista e consona ai tempi, pensò Priscilla. Tirò fuori da sotto il banco il suo album e si mise a disegnare.

– Cosa fa la signorina? – disse subito il prof – non si degna di seguire?

– Disegnavo – disse Priscilla.

– Ah sì? E cosa?

– Dinosauri.

– Dinosauri?

– Per la precisione uno stegosauro.

– E posso chiederle perché?

– Lei sta parlando di antichità e mi sono venuti in mente loro.

– Tu sai Priscilla – intonò il prof – che quando c'erano i dinosauri l'uomo non c'era?

Ecco che comincia. E allora? Vivevano benissimo lo stesso, i dinosauri. Mangiavano spinaci, erbette o quello che c'era e non dovevano alzarsi alle sette la mattina per sentirsi spiegare la preistoria. La imparavano da soli.

– E chi di voi sa perché si estinsero i dinosauri? – chiese il prof con sguardo panoramico.

– Erano troppo grossi? – disse il Ciccio temendo per la sua sorte.

– Anche. Ma non solo. Priscilla, lo sai perché?

– Perché non c'era il WWF?

– Sempre spiritosa... Dimmelo tu Lollis.

Figuriamoci. Si è acceso il juke-box. Dunque professore come lei saprà ci sono diverse teorie, la più recente sostiene che un grosso corpo celeste, entrando in contatto con la nostra atmosfera...

Priscilla lasciò andare il capino sul banco. All'ultima ora

i minuti sembrano ere geologiche. Mancano quattro giurassi-ci e un cretaceo alla fine. Dio, manda un corpo celeste ed estingui i profosauri. Due ore di matematica due ore di tema e adesso Lollis che ci riassume la Creazione. Nessuno uscirà vivo da qui.

Campanella!

O suono stupendo! Gargarismo d'angelo! O corpo cele-ste! O vaffanculo tutti. Liberi!

La mandria premeva già verso la porta.

– Oggi queste cinque ore loffie proprio non passavano mai – disse Lavinia.

– Proprio da sclero – trillò Rosabella – ancora un po' mo-rivo dalla noia, vero Priscillona?

– Non più noioso di ieri – sospirò Priscilla con sguardo sconsolato all'aula. Così vide il Kid che non si era ancora al-zato dal banco. Teneva la testa appoggiata al muro, coi soliti occhiali neri. Come sempre addormentato. Priscilla lo scrol-lò per un braccio.

– Ehi Kid – disse Priscilla – scampato pericolo, è finita. Puoi svegliarti ora... Kid.

La testa del Kid precipitò sul banco con un rumore sor-do. All'angolo della bocca colava un filo di saliva nera. Il Kid era morto.

Alle tre del pomeriggio tutti i ragazzi erano ancora in classe. Meno il Kid naturalmente. Non sembravano sconvol-ti, tutt'al più eccitati. Gli unici davvero tristi erano Priscilla e Ciccio. (Anche il cuore abbonda nei grassi.)

– Non ci credo – balbettava il Ciccio – stamattina ci sia-mo salutati e mi ha dato il suo solito pugno nelle palle.

– Brutta storia – diceva Priscilla guardandosi intorno. Strane idee le frullavano nella testolina.

– Forse è stata droga... mi sa che si drogava – disse Etto-rino.

– No – disse la Ranocchia – ho sentito il professore parla-re con il commissario. È morto avvelenato.

– Si è ammazzato?

– Questo non si sa.

– Perché non ci fanno andare via?

– Deve dirlo il commissario.

Sì, c'era un commissario vero. Seduto nell'ultimo banco, parlava con il preside. Sembravano due ripetentoni scemi. C'erano alcuni professori pallidi e allarmati. Che scandalo per la scuola più esclusiva della città! E c'erano due poliziotti.

– So che vorreste tornare a casa, ragazzi – disse il commissario – ma prima abbiamo bisogno del vostro aiuto. Il vostro compagno ha ingerito del veleno... vorremmo sapere se qualcuno di voi lo ha visto mangiare qualcosa... lei signorina Sabelli che era la più vicina.

Rosabella si sistemò i capelli. Ma come, non la facevano neanche giurare?

– No... io poi non è che guardi molto...

(Brusio. Bugiarda. Certe occhiate da murena...)

– ... lui comunque non faceva mai merenda.

– Neanche nell'intervallo?

– No – intervenne Ciccio – fumava.

– Fumava cosa?

– Fumava sigarette – disse Ciccio – cioè... quelle che si fumano...

Priscilla intervenne, se no la cosa andava per le lunghe.

– Fumava delle sigarette normali, gli avrete trovato il pacchetto in tasca, no?

– E non faceva mai merenda?

– Mai visto.

– E oggi è successo qualcosa di strano durante le lezioni? È entrato qualcuno? Avete visto Carletto uscire?

– Nessuno – disse Giorgino figarino – siccome c'era il tema, alla terza ora nessuno ha fatto intervallo. Qualcuno è uscito un momento, ma Carletto non mi pare...

– Io sono uscito – disse la Ranocchia, spaventato – ma giuro che dovevo.

– Pisciare non è reato – gli sussurrò Priscilla alle spalle.

– E non avete notato qualcosa di strano? Di insolito? – disse il commissario.

– C'erano molte mosche – disse una gemella. Poi annuì.

– Moltissime – confermò l'altra. Poi annuì.

– A un certo punto – disse Ciccio – hanno tirato un sassolino contro il vetro, da fuori. Ce ne siamo accorti tutti.

(Fatto il suo dovere, anche lui.)

– Per la verità – disse Boba – quando il Kid è entrato stamattina era molto pallido... gli ho chiesto come si sentiva... e ha detto "bene"... ma non un "bene" convinto, e poi...

– Non la ascolti, è una balla – disse Priscilla – se le dà corda ci fa uno show di un'ora.

– Signorina Mapple ci risparmi le sue solite ironie – disse il preside, e si mise a parlare sottovoce al commissario. Certo gli spiegava che presuntuosa anarchica alunna era la bambinona e di come si permettesse certe libertà, sopportate solo perché ahimè molto intelligente.

– Allora – proseguì il commissario – ricordate se ultimamente Carletto aveva litigato con qualcuno? Se aveva delle antipatie?

Tutti zitti. Ipocriti. Non andava d'accordo con nessuno il Kid. Sopportava solo Priscilla e Ciccio. Allievo difficile, quasi un disadattato, diceva il suo profilo scolastico. Priscilla intanto era entrata silenziosamente in azione. I suoi occhi scrutavano sotto le finestre. Si chinò a raccogliere qualcosa. Gli altri ragazzi gironzolavano nervosi. L'eccitazione stava svanendo per far posto a una vaga paura. Il preside si lamentava con il commissario.

– Sono due ore che li tratteniamo... lei mi capisce, i genitori telefonano ... sono genitori importanti, questa non è una scuola qualsiasi.

Il commissario annuì in puro stile gemelle Secchia.

– Tra mezz'ora li lascio andare. Mi faccia parlare con la professoressa di italiano.

Arrivò la professoressa Danieli, smunta, spaventata. Piangeva. Una brava persona. Priscilla Mapple si sedette sul davanzale e guardò il giardinetto della scuola con il campo da pallavolo, il palco delle premiazioni, gli olmi potati. Che tristezza. Non ne sei uscito vivo, Kid. Dopo un'ora c'è un'ora e poi un'ora...

Sotto di lei il Ciccio adorante e sudaticcio le mise arditamente una mano su una caviglia.

– Priscilla, secondo te chi pensi chi sia stato... cioè anche uno di noi pensi che possa?

Non era la stanchezza. Anche quando era in forma smagliante parlava così.

– Caro Ciccio – disse Priscilla mettendosi le mani a coppa sotto il mento in atteggiamento pensoso – secondo te chi di noi poteva avercela col Kid?

– Non lo so.

– Tutti!

– Eh, merda!

– Vediamo caso per caso. Le gemelle: il Kid le chiamava le sorelle sissignore e diceva che in due non facevano un cervello. Lavinia: fu lei a proporci di firmare una richiesta per mandare via quel "cafone insopportabile". E se ricordi, il mese scorso il Kid disse a Boba che suo padre era un arricchito di guerra. E Boba gli tirò una scarpa. Una scarpa firmata ma sempre una scarpa. E Rosabella... la nostra vamp?

– Forse avevano avuto un flirt e lei non voleva farlo sapere...

– Elementare, Ciccio... oppure Maria Cristina... sempre all'ombra di Rosabella, innamorata del Kid senza speranza: o mio o di nessuna.

– Eh, merda – ribadì il Ciccio eccitato.

– Passiamo al settore maschi. Giorgino il figarino. Una volta hanno anche fatto a botte, se ricordi, giù alla pallavolo. E Ettorino? Sembrava che lo odiasse ma poi ogni tanto se lo palpava.

Il Ciccio fa una bocca come una carpa.

– E la Ranocchia? Quante pacche sulla testa si è presa dal Kid. E si voltava e ringhiava: smettila o ti ammazzo. E Lollis? Neanche lo guardava, penso che solo sentire il suo respiro alle spalle lo disgustasse. E quanto a te Ciccio...

– Io? E perché?

– Perché sei grasso e brutto e lui era magro e bello...

– Allora anche tu.

– No, io sono grassa e di eccezionale bellezza – disse Priscilla.

– Mi stai prendendo in giro.

– Certo – disse Priscilla alzandosi in piedi e stirandosi. – Cosa credi, che si ammazzi per così poco?

Si era avvicinato dondolando il commissario, con un sorriso stiracchiato.

– Allora Priscilla... mi dicono che sei una ragazzina molto sveglia... hai niente da dirmi?

– Ha scoperto chi di noi è l'assassino?

– Priscilla – disse il commissario con una risatina professorale – spiegami perché dovrebbe essere uno di voi.

– Se no perché ci tenete qui? E perché avete chiuso il portone della scuola? Non ho ancora visto uscire nessuno. Vuol dire che avete accertato che il Kid è stato avvelenato durante le ore di lezione, non è vero?

Il commissario si sedette stupito. Sveglia davvero, la piccola.

– Ebbene sì. Secondo il medico legale il veleno è stato ingerito in un periodo tra le undici e mezzogiorno... è un veleno che agisce in un'ora circa...

– Si chiama curarina?

Il commissario impallidì.

– Potrebbe essere... perché?

– Ho letto qualcosa del genere. Addormenta poco alla volta, in modo quasi indolore. Il Kid non si è neanche lamentato, è rimasto lì senza che ce ne accorgessimo. Dormiva quasi sempre l'ultima ora.

– Aspettiamo le analisi... potrebbe essere – disse il commissario – e cosa altro puoi dirmi?

– Che siete nella merda. Il Kid non è uscito di classe in quell'ora, quindi lo ha preso qua dentro. Secondo voi lo ha fatto di proposito?

– Pensiamo di sì. Suicidio.

138

– Invece no – disse Priscilla sbadigliando.

– Mi stai prendendo in giro?

– Se lo crede, come non detto.

– No, continua... – disse il commissario.

– Vorrei un cappuccino e due paste con la frutta.

Il commissario disse qualcosa all'orecchio del poliziotto che se lo fece ripetere due volte e poi uscì. Priscilla pensò che si stava proprio divertendo. Il preside andava su e giù agitatissimo, ricordando che fuori c'erano l'onorevole la contessa il notaio il dottore eccetera. Risuonavano le parole "rivolgersi alla stampa" e "poveri piccoli segregati".

– Tra dieci minuti faccio uscire tutti – disse il commissario – ma ora fateli stare zitti. Continua, Priscilla.

– D'accordo. Lei prima mi ha chiesto se oggi avevo notato qualcosa di strano. Vede, io a scuola mi annoio molto...

– Non capisco cosa c'entra.

– Commissario, se un lago è tranquillo e uno ci butta una pietra, tutti lo notano, no?... così se uno si annoia ogni piccola cosa che accade, ogni cosa che rompe la noia... pluf... ti colpisce.

Il commissario accese una sigaretta ed era così nervoso che ne offrì una anche a Priscilla.

– Grazie, mi fa accendere? – disse lei, prontissima.

Il preside, vedendo la scena, accorse indignato, ma il commissario lo allontanò con un gesto imperioso della mano. Priscilla cominciò a trovarlo simpatico e tirò due boccate trionfanti.

– Allora, oggi nel lago di noia sono cadute, anzi accadute due cose, e proprio durante le ore del tema. Primo: il Kid per tutta la prima ora non ha scritto. Faceva finta. L'ho guardato due o tre volte e leggeva un giornalino.

– Guardi sempre in giro durante il tema?

– Lo finisco in venti minuti. Poi lo correggo un po' per far finta di lavorarci ancora. Cose di noi genii. Non so se lei può capire...

– Vai avanti – grugnì il commissario.

– Invece oggi c'era qualcuno che scriveva a velocità doppia del normale, come se avesse una gran fretta... e non è uno che lo faccia abitualmente.

– Cosa significa?

– Commissario – disse Priscilla con una sbuffata di fumo da vamp – mi meraviglio di lei. Se il Kid non scrive e un altro scrive in fretta, si può supporre che l'altro sta scrivendo il tema del Kid.

– Beh, sì. Si può supporre.

– Si può! Poi è successa un'altra cosa... il sassolino alla finestra... è vero, l'hanno tirato ma non da fuori, da dentro... eccolo qui, l'ho trovato poco fa...

– E cosa vuol dire questo sassolino?

– Perché uno tira un sassolino contro una finestra, commissario? Per attirare l'attenzione. Magari perché tutti guardino lì e non da un'altra parte. Tutti abbiamo guardato verso la finestra e forse da un'altra parte stava succedendo qualcosa...

– Cosa?

Il poliziotto arrivò con cappuccino e paste e parlò all'orecchio del commissario. Il commissario perse la pazienza.

– Dica a quei signori che se non la smettono di rompermi le palle io tengo i ragazzi chiusi qui una settimana e li torturo anche. Allora Priscilla, – riprese il commissario – cosa succede mentre tutti voi guardate la finestra colpita dal sassolino?

– Che qualcuno passa il tema al Kid.

– Va bene... ma questo non è un delitto!

– No, commissario. Ma se quel qualcuno è l'ultima persona al mondo che lei si aspetterebbe, uno che non aveva nessun motivo per farlo? Cosa penserebbe?

– Che è strano.

– Un altro sassolino nello stagno... e proprio da qui ho iniziato l'indagine... lì per lì non ho notato il passaggio del tema, ma ho notato che "qualcuno" continuava a scrivere a gran ritmo... e io penso che se noi guarderemo il suo tema sarà visibilmente scritto in fretta, ma non sarà lungo... poi dalla quarta ora anche il Kid ha cominciato a scrivere a tutta birra...

– Va bene. Ma non esiste il reato di copiatura.

Priscilla annuì ingoiando un fragolone.

– Vuole per favore chiamarmi qui la bibliotecaria?

Il commissario non chiese perché. Quella bambina diabolica lo aveva in pugno. La vecchia bibliotecaria arrivò e Priscilla confabulò con lei. Quando la donna uscì, Priscilla aveva sul volto un'espressione di trionfo.

– E adesso?

– Vuole convocare la Ranocchia... pardon, l'alunno Rovelli Renato?

Il super raccomandato si presentò pallido e torvo.

– Posso farti una domanda Ranocchia? – disse Priscilla.

– A te non rispondo, vipera.

– Allora riferirò le domande al commissario e te le farà lui...

Ranocchia sgranò gli occhi. Priscilla con calma sorseggiava il cappuccino.

– Cosa vuoi sapere?

– Hai mai copiato, Ranocchia?

– Io? – ruggì Ranocchia – ma cosa ti salta in mente...

– Visto che ti sei messo in banco col primo della classe...

– Senti, bellina. Se lo vuoi sapere quando ci sono i compiti io e Lollis mettiamo dei libri in mezzo, così non ci viene neanche la tentazione... contenta adesso?

– Lo sapevo ma volevo la conferma. Quindi tu non vedi mai cosa fa Lollis.

– E lui non vede mai cosa faccio io – disse fieramente la Ranocchia.

– Non sa cosa perde. Me lo chiami, per favore?

Ranocchia andò quasi di corsa in fondo all'aula e riferì. Il primo della classe arrivò. Non un capello fuori posto. Si sedette rigido e sospettoso. Aveva visto l'ascendente che Priscilla aveva sul commissario.

– Ciao Lollo.

– Non mi chiamare così.

– Dottor Lollis, il tuo ultimo compito di matematica tre giorni fa non era un granché...

– E a te cosa interessa?

– Voglio dire, strano da nove di media passare a un sette, così...

– Può capitare.

– A te non dovrebbe capitare... Mi aveva molto stupito quel voto... quasi come il sette che aveva preso il Kid.

– Vedi? – sorrise Lollis – delle volte va bene e delle volte va male.

– E perché lo hai fatto copiare?

– Tu sogni!

– Via! Scommetto che se andiamo a rivedere i due compiti gli errori sono più o meno gli stessi.. non potevi far prendere un nove al Kid, se ne sarebbero accorti... allora ti sei sacrificato... magari gli hai anche indicato dove cambiare qualcosina.

– Non è vero... io non passo mai i compiti.

– E io dico di sì. Ho ripensato a quel compito, Lollis... per uno come te era inammissibile fare quegli errori... e non eri stupito né deluso quando hai preso sette... ora ricordo bene... sai, i sassolini nello stagno...

– I cosa?

– Niente. Così, hai deciso di aiutare il Kid... e di fargli anche il tema. Ti ho visto oggi, hai pedalato a scrivere per due ore quando normalmente te la cavi in poco più di una... sei un orologio Lollis... e allora perché ti sei messo a cambiare gli orari?

– Stai farneticando – mugolò Lollis. – Commissario, non mi dica che devo ancora risponderle.

– Sì che deve – disse il commissario.

– Non hai prove – disse Lollis.

– È vero, prove non ne ho... voglio dire, due compiti di matematica quasi uguali e un tema scritto molto in fretta sono una cosa strana per te Lollis ma... ci vorrebbe, che ne so, la brutta copia del tema passato al Kid... oppure...

La bibliotecaria arrivò in quel momento con un volume: era un libro di chimica per l'Università.

– Quanto hai in scienze Lollis? – chiese Priscilla.

– Nove.

– Beh certo, se leggi dei libri così sei dieci anni avanti a noi – rise Priscilla – so che sei molto più bravo di me in scienze... e che tuo zio è un famoso biologo.

– Come lo sai?

– Me lo hai detto tu. Ti vanti spesso delle tue parentele, dottor Lollis. Ecco un altro sassolino che mi è tornato in mente. Due settimane fa tu leggevi questo libro, nell'intervallo in giardino. Allora non mi sembrò strano. Anch'io mi porto a scuola Poe e la zia Agatha... lo hai preso in prestito dalla biblioteca della scuola, vero?

– Lo sai benissimo. E allora? L'ho regolarmente richiesto.

– Certo, certo – disse Priscilla sfogliando il libro con noncuranza – è un libro dove si parla molto di veleni, no? guarda qui, c'è un intero capitolo. Li tieni bene tu i libri, Lollis... sembra nuovo... Anzi, guarda caso, è nuovo! È un'edizione di quest'anno... sei generoso Lollis... prendi in prestito i libri vecchi e ne riporti dei nuovi!

Lollis cominciò a tormentarsi nervosamente gli occhiali.

– Che cosa vorresti dimostrare?

Priscilla Mapple si alzò in tutto il suo metro e cinquanta di rotondità.

– Lollis! Non c'era nessun motivo perché tu aiutassi il Kid. Non sei il tipo. Non hai mai aiutato nessuno e piuttosto che farti copiare una riga mureresti il banco. Odiavi il Kid, perciò, se l'hai aiutato, avevi un piano. Hai guadagnato la sua fiducia offrendogli il compito di matematica. Poi gli hai passato il tema. E lo hai ucciso!

Lollis si alzò in piedi pallidissimo.

– Piano signorina, piano – intervenne il commissario – attenta a quello che dici.

– Io sto sempre molto attenta – disse Priscilla sventolando un foglio – guarda il tuo tema di oggi Lollis, corto corto e scritto con la biro.

– Dove lo hai preso?

– Mi sono permessa di perquisire la borsa del professore di italiano – ghignò Priscilla. – Allora, come mai non hai usato la tua bella stilografica?

– Perfida – disse il ragazzo quasi piangendo – mio padre ti denuncerà.

– Priscilla, ora stai esagerando – disse il commissario – vorresti per favore dirmi come lo avrebbe ucciso?

– Col tema.

– Tu sei pazza! – disse Lollis.

– Con la brutta copia del tema. Hai mescolato la curarina all'inchiostro della stilografica. Hai scritto il tema per il Kid. Prima gli avevi detto: io te lo passo, ma giurami che dopo aver copiato distruggerai il foglio... e da che mondo è mondo e che scuola è scuola le brutte copie compromettenti si distruggono in un solo modo: mangiandole.

– Continua – disse il commissario.

– Non è difficile immaginare cosa è successo. Tu dici al Kid: te lo passo solo se giuri di mangiare subito la brutta copia, se no non ti passo più niente. Con un tipo come te, certo il Kid non si stupisce della richiesta. Fai la prova col compito di matematica. Una velina sottile, quei fogli che ti ho visto usare spesso. E il Kid manda giù. E anche con il tema obbedisce... e ingoia il veleno.

– Dimostralo!

– Dov'è la tua bella stilografica Lollis? Perché alla prima ora l'avevi, te l'ho vista.

– Non la trovo più... credo di averla persa – balbettò Lollis.

– Ma guarda... l'ordinatissimo Lollis perde la stilografica e non si preoccupa, non la cerca, non chiede se qualcuno l'ha vista! Io invece credo che la troveremo la stilografica, forse giù in giardino, sotto una finestra... quella là in fondo, dove stavi appoggiato prima.

Il commissario fece un cenno col capo al poliziotto.

– E spiegami un'altra cosa, Lollis – proseguì Priscilla implacabile – perché hai preso un libro vecchio dalla biblioteca e ne hai riportato uno nuovo? Te lo dico io, Lollis. Dammi un tuo libro: vedi, è tutto sottolineato, tu hai questa mania, se no non riesci a studiare... e non sarebbe stato bello riportare indietro un libro dove erano sottolineate le parti che riguardavano i veleni!

144

Lollis chinò la testa. Ansimava leggermente.

– Così se non ti basta il tema, il libro, la stilografica, diciamo che se con l'autopsia troveranno della carta nello stomaco del Kid, questo particolare assumerà un nuovo aspetto. Non penseranno solo che era la sua merenda preferita. E di sicuro troveranno della curarina nella casa di tuo zio. E se vuoi che continui...

Il poliziotto chiamò dal cortile. Il commissario si affacciò. Né Priscilla né Lollis si mossero.

– Sei fortunato – disse Priscilla – hanno trovato la tua stilografica.

– Stronza – si mise a piangere Lollis – stronza, hai rovinato tutto.

Il commissario fece uscire gli altri ragazzi che lanciavano occhiate interrogative a Lollis in lacrime e a Priscilla, voltata verso la finestra.

– Ma perché? – chiese il commissario.

Lollis non rispose.

– Immagino sia per quella storia della media dei voti, no? – disse Priscilla senza voltarsi – quella per cui facevi tutti i giorni i calcoli sul tuo diario.

– Sì – disse Lollis – senza il Kid potevamo essere i migliori della scuola... avevo fatto bene i conti... senza i suoi tre e quattro avevamo la media migliore. Con lui in classe non avevamo nessuna speranza di andare al concorso nazionale.

– Quello delle classi modello? – chiese il commissario.

– Sì – disse Lollis – lui... non c'entrava niente con noi... cosa serve studiare tanto se poi un cialtrone qualsiasi ti rovina tutto... innervosiva i professori, faceva perdere tempo... eravamo una così bella classe...

Il poliziotto lo portò via, diritto e impettito come sempre. Il preside sembrava invecchiato di alcune ere geologiche. Priscilla e il commissario percorsero insieme i corridoi della scuola deserta, i piedoni di lui e le scarpette di lei rimbombavano in tonalità diverse. Nell'atrio il commissario si fermò e fece una carezza a Priscilla.

– Devo dire che in un primo momento eravamo proprio

indirizzati verso l'ipotesi del suicidio... Beh, certamente dopo avremmo avuto dei sospetti.

– Non ne dubito – disse Priscilla.

– Grazie di tutto.

– Grazie del cappuccino.

Dal portone della scuola finalmente aperto Priscilla intravide il suo parentado schierato. Il commissario le strinse la mano.

– Beh, signorina... sarei contento di avere una figlia come te... sebbene... no, non ne sono proprio sicuro.

– È più o meno quello che pensa il mio papà – disse Priscilla.

IL DESTINO SULL'ISOLA DI SAN LORENZO

> Puoi alzarti molto presto all'alba, ma il tuo
> destino si è alzato un'ora prima di te.
>
> (*Proverbio africano*)

In principio era il Sogno, che ebbe figli Siopé il silenzio e Mumusoin il rumore, da cui nacquero Dyaus il cielo, Indigo la terra e Caleb il riso da cui nacque il mare, in mezzo al quale spuntò l'isola di San Lorenzo a forma di piccola ranocchia, e nella testa della ranocchia sorse la capitale, e sul terrazzo di una delle sue case, la sera di uno dei tanti giorni indifferenti a Dio, stava Alfonso il bello facendo ginnastica al suono del disco "Apache" vestito solo di uno slip di leopardo.

Lo vide dalla finestra Olga la bella, lo trovò il più bello e sudato degli uomini e il cuore le diede un gemito nel petto come un calabrone nel bambù.

Passarono così diversi minuti, i muscoli di Alfonso guizzando nel rosso della sera, Olga la bella rimirandoli, una macchina investì un passante e lo scaraventò contro un'altra, si fece capannello, era morto: l'anima salì al cielo un po' bruciacchiata, era un'anima di dentista, l'ultima cosa che vide sulla terra fu il viso sognante di Olga alla finestra, e rimpianse alquanto di dover partire.

Se è vero che amore e morte sono legati ed è la stessa dea a dipanarne i fili, fu proprio quello il momento in cui tutto iniziò. Alfonso il bello sentì la strada animarsi, si mise attorno alle reni un asciugamano, anch'esso maculato, e si affacciò. Così vide Olga che in sottoveste color pesca si tormentava i lunghi capelli biondi: la freccia di Cupido percorse agevolmente i dieci metri scarsi tra i due balconi e traforò le dirimpettaie fronti. Alfonso giurò all'istante che se non avesse potuto avere quella bionda si sarebbe ucciso, privando il mondo di una muscolatura d'eccezione. Olga giurò che se non avesse potuto avere quel bellissimo ginnasta lo avrebbe ucciso. La situazione di partenza vedeva quindi nettamente svantaggiato Alfonso.

La sera stessa Porfirio, il vedovo, portò i suoi due figli, Disette e Diotto anni, in riva al mare a cercar conchiglie. La spiaggia di San Lorenzo ne era particolarmente sprovvista. Raccolsero alcuni fossili di anguria, numerosi cucchiaini da gelato e un pezzo di legno somigliante secondo Diotto a un gattino, secondo Disette a un marziano.

Alla fine della spedizione scientifica Porfirio si sdraiò sulla sabbia e guardò le barche sanlaurentine, alcune verdi alcune blu, a mollo nel catrame del porto. Guardò i gabbiani tornare dalla città, sazi di immondizie. Guardò l'albergo di cui era proprietario, un ventisette camere che gli dava un reddito decoroso. Felice esser poteva ma felice non era. Mai come quella sera sentiva che la sua esistenza non aveva senso senza l'amore di Olga la bella.

Così è infatti la vita, e gli indiani dicono che in essa la forza più potente sia una divinità dal nome lungo e minaccioso:

Amikinont'amanonamikit'ama

È il Dio degli amori non corrisposti, quello che si diverte a combinare in infiniti incontri sbagliati tutte le possibili infelicità e le possibili disperazioni.

Porfirio ama Olga ma non è corrisposto. È invece amato da Ernesto. Ernesto è un cameriere naturalmente malinconico, che serve liquidi versicolori ai clienti del Bellevue, il caffè più elegante di San Lorenzo. La sera si veste da Brivido Arabo, metà odalisca metà predone e va in cerca d'amore nelle strade del porto. Fiera l'andatura, vorace la bocca, modica la tariffa. Lì una notte incontra Porfirio appena deprivato di consorte, ubriaco, in lacrime. Si accostano senza il parabordo delle consuetudini (siamo al porto). Ernesto si invaghisce di quell'uomo che piange con tanto stile, cita Catullo e lo tratta con gentilezza. La nottata è indimenticabile. So che vorreste saperne di più ma Porfirio si vergogna. Infatti dopo quella volta, si nega.

Ernesto è invece follemente amato da Cristina, giovane cameriera ricciuta che non capisce il perché dell'indifferenza dell'Adorato. E vuole lui, non Alfonso che la ama (così almeno fino a ieri) la ama e indossa per lei tutto il maculato che ha a disposizione, cravatta di giaguaro, cinture pitonoidi, persino una giacca di ocepardo, animale esotico che fa ribrezzo agli indigeni e ai suoi stessi simili.

Ecco quindi che la diabolica ruota gira, ma adesso è uscito un numero a sorpresa, e cioè che Alfonso e Olga si amano. Se così non fosse avremmo un cerchio sacro completo con al centro Amikinont'ama. E cioè Olga che soffre d'amore per Alfonso che soffre per Cristina che soffre per Ernesto che soffre per Porfirio che soffre per Olga. Ma Olga e Alfonso sono lì che si guardano, arriva l'ambulanza a portar via la spoglia del dentista, e loro si guardano. Olga tormenta i capelli biondi, Alfonso sta sudato nel vento anche se non gli fa bene, l'ambulanza riparte, al cinema mettono i cartelloni di "Les amants" (un caso? un trucco?). Alfonso è sconcertato. Mai al balcone aveva provato più di uno scarno turbamento paesaggistico: ed eccolo lì imbambolato davanti alla bella tricotillomane. Alfonso, o bestia che mai non amasti, cosa ti succede? Romanticamente, la mano gli scende dentro gli slip di leopardo a soppesare i pro e i contro della vita. Sbadiglia. Olga gli trova belle anche le tonsille. È cotta, la ragazza. Prima di chiudere la finestra, lo saluta inequivocabilmente lanciandogli un bacio.

È l'inizio di un bel casino.

Il giorno dopo il destino in agguato si aggira travestito, non vi diciamo come, tra i mille volti della Fiera del Tonno di San Lorenzo. Ogni anno infatti l'isola festeggia questo azzurro e mite animale che assicura il quaranta per cento delle entrate locali. La festa confonde fisarmoniche e grida, colori e ansiti bisessi. Ci cammina Alfonso il bello inguainato in una camicia argentata, color tonno per l'appunto, più cintura di giaguaro e scarpe a stiletto, offrendo al mondo la sua bellezza appena velata dalla malinconia d'amore. Ci cammina Olga la bella vestita di fucsia ottenendo il massimo degli aggettivi mai ottenuti da una donna a una fiera di San Lorenzo. Camminano in direzioni divergenti e quindi non si incontrerebbero mai se non intervenisse il Destino sotto forma di (badate!) venditore di dolciumi, torroni per l'esattezza. E che torroni! Forse la stessa Astarte dea della seduzione e Repletus dio dell'eccesso alimentare hanno impastato il dolce con miele dell'Olimpo e droghe afrodisiache, poiché il manufatto sparge nel cosmo un odore cui è impossibile resistere. Lo sente la città, lo sente la periferia dove decine di bambini penzolano dalla finestra e intonano cori lamentosi di desiderio, lo sente anche il più rude pescatore a qualche miglio dalla costa e anche i tonni, ebbene sì i tonni, si fermano ad annusare rapiti e buon per loro che nessuno pensa di usare il torrone come esca.

Goloso e attratto Alfonso•mantiene quindi direzione di maestrale mentre Olga vira da libeccio a ponente e poi anche lei a nord-ovest in direzione torrone, seguendo l'odoroso sentiero del Destino. E lì, al banco dolciario, si incontrano e il loro sguardo non si può raccontare: una sfida, una promessa, un incantesimo, quello che vi pare. Il venditore di torroni (Giove travestito?) sorride complice mentre i due si allontanano, ormai avvinti dall'eterna magia. Come se da sempre si conoscessero, lui le parla del campionato di calcio, della palestra, del suo menisco. Lei gli parla della sorella suora, di canarini, di stoffe. Alle ore ventitré e quaranta si baciano e la ruota del destino si mette a correre all'impazzata. Li avvista tra la folla Porfirio il vedovo. Il cuore gli si impenna nel vedere la donna dei suoi sogni stretta all'uomo leopardo. A stento trattiene un grido. China la testa e inizia a prendere a ceffoni i figli al ritmo di due ceffoni ogni "papà me lo compri". I piccoli, sconvolti dall'impeto paterno, ammutoliscono, cosa che non accadeva dal dì del funerale materno.

Ingoia rabbia e lacrime Porfirio, si siede al primo bar e ordina un cognac. È Ernesto, che sostituisce un collega, a portarglielo. Porfirio lo riconosce e decide: saranno amanti. Solo così dimenticherà Olga. La sera stessa in pantaloncini corti, eccoli andare in tandem sul lungomare, ubriachi, verso una spiaggia tranquilla ove consumare il loro scandaloso amore. Li vede Cristina e trova conferma alle voci delle colleghe più malevole. Pazza di amore respinto decide di concedersi la sera stessa ad Alfonso. Si trucca dalla bocca agli alluci, indossa uno sull'altro tutti i materiali trasparenti che ha, col risultato di eliminare ogni trasparenza. Suona al campanello di Alfonso.

– Chi è?
– Sono Cristina, salgo?

Beffa suprema di Amikinont'ama! Quelle tre parole che fino al giorno prima avrebbero una sull'altra formato gli scalini per il paradiso, suonano ora del tutto indifferenti ad Alfonso che crudelmente dice:

– Non sono solo.

È vero. Sono a letto, lui nudo e irsuto, lei bianca e sottoveste pesca, spossati da un pomeriggio d'amore, ormai senza sigarette fumando uno le cicche dell'altro, e senza più alcoolici bevendo acqua e ghiaccio.

Cristina pazza di dolore e umiliazione fugge via, e corre e corre finché arriva sul molo. Il mare è tranquillo. Il blu profondo fissa Cristina con un immenso occhio luminoso. In fondo cantano i tonni. Uno splendido tramonto illumina i riccioli della ragazza e la fa sembrare ancora più giovane. In fondo morire giovani è bello, pensa Cristina: se non lo faccio adesso che posso, forse quando sarò vecchia lo rimpiangerò. Così chiude gli occhi e si butta. Il tuffo nell'acqua fredda le solleva impudicamente la sottana. Trattiene il respiro. La sua vita scorre in un attimo. La zia Editta. Il babbo che dorme sotto una palma. Prugne meravigliose in un vaso troppo alto per le sue braccine. Una compagna di scuola, poi morta di tisi. Il primo bacio. Mance. Poi il bel volto bruno di Ernesto sul bianco della giacca da cameriere. Ernesto in tandem col suo drudo che canta canzonacce. Poi più nulla. Tira un gran respirone e nuota verso riva.

Due settimane dopo Cristina vince il primo premio, un'automobile, a un concorso di detersivi. L'istruttore di scuola guida si chiama Goffredo, è alto e simpatico. Non aggiungo altro. Ernesto lascia Porfirio dopo una lite sull'educazione dei figli. Tra Olga e Alfonso si insinuano dapprima separé di silenzio, poi stanze, poi quartieri. Ore e ore lei a smaltarsi le unghie, lui a fare flessioni. Una notte Olga si sveglia per via di un rumore spaventoso in cucina. È Alfonso che succhia gamberoni freddi. Il giorno dopo lei va da sola al cinema a vedere "Piangerò domani", poi va a piangere alla finestra di casa sua. Da lì vede Alfonso che si gonfia e sgonfia al suono di "Apache". Si chiede come ha potuto buttar via sei settimane della sua vita con un uomo così.

Anche il destino a questo punto si domanda se vale la pena di travestirsi da venditore di torroni, far morire i dentisti, far cantare i tonni e tutto solo per divertire questi bambini volubili che si chiamano uomini. Nessuno gli risponde: perché nessuno può dar consigli al destino, né a San Lorenzo né altrove.

LA CHITARRA MAGICA

> Ogni ingiustizia ci offende, quando non ci
> procuri direttamente alcun profitto.
>
> (LUC DE VAUVENARGUES)

C'era un giovane musicista di nome Peter che suonava la chitarra agli angoli delle strade. Racimolava così i soldi per proseguire gli studi al Conservatorio: voleva diventare una grande rock star. Ma i soldi non bastavano, perché faceva molto freddo e in strada c'erano pochi passanti.

Un giorno, mentre Peter stava suonando "Crossroads" gli si avvicinò un vecchio con un mandolino.

– Potresti cedermi il tuo posto? È sopra un tombino e ci fa più caldo.

– Certo – disse Peter che era di animo buono.

– Potresti per favore prestarmi la tua sciarpa? Ho tanto freddo.

– Certo – disse Peter che era di animo buono.

– Potresti darmi un po' di soldi? Oggi non c'è gente, ho raggranellato pochi spiccioli e ho fame.

– Certo – disse Peter che eccetera. Aveva solo dieci monete nel cappello e le diede tutte al vecchio.

Allora avvenne un miracolo: il vecchio si trasformò in un omone truccato con rimmel e rossetto, una lunga criniera arancione, una palandrana di lamé e zeppe alte dieci centimetri.

153

L'omone disse: – Io sono Lucifumándro, il mago degli effetti speciali. Dato che sei stato buono con me ti regalerò una chitarra fatata. Suona da sola qualsiasi pezzo, basta che tu glielo ordini. Ma ricordati: essa può essere usata solo dai puri di cuore. Guai al malvagio che la suonerà! Succederebbero cose orribili!

Ciò detto si udì nell'aria un tremendo accordo di mi settima e il mago sparì. A terra restò una chitarra elettrica a forma di freccia, con la cassa di madreperla e le corde d'oro zecchino. Peter la imbracciò e disse:

– Suonami "Ehi Joe".

La chitarra si mise a eseguire il pezzo come neanche Jimi Hendrix, e Peter non dovette far altro che fingere di suonarla. Si fermò moltissima gente e cominciarono a piovere soldini nel cappello di Peter.

Quando Peter smise di suonare, gli si avvicinò un uomo con un cappotto di caimano. Disse che era un manager discografico e avrebbe fatto di Peter una rock star. Infatti tre mesi dopo Peter era primo in tutte le classifiche americane italiane francesi e malgasce. La sua chitarra a freccia era diventata un simbolo per milioni di giovani e la sua tecnica era invidiata da tutti i chitarristi.

Una notte, dopo uno spettacolo trionfale, Peter credendo di essere solo sul palco, disse alla chitarra di suonargli qualcosa per rilassarsi. La chitarra gli suonò una ninnananna. Ma nascosto tra le quinte del teatro c'era il malvagio Black Martin, un chitarrista invidioso del suo successo. Egli scoprì così che la chitarra era magica. Scivolò alle spalle di Peter e gli infilò giù per il collo uno spinotto a tremila volt, uccidendolo. Poi rubò la chitarra e la dipinse di rosso.

La sera dopo, gli artisti erano riuniti in concerto per ricordare Peter prematuramente scomparso. Suonarono Prince, Ponce e Parmentier, Sting, Stingsteen e Stronhaim. Poi salì sul palco il malvagio Black Martin.

Sottovoce ordinò alla chitarra:

– Suonami "Satisfaction".

Sapete cosa accadde?

La chitarra suonò meglio di tutti i Rolling Stones insieme. Così il malvagio Black Martin diventò una rock star e in breve nessuno ricordò più il buon Peter.

Era una chitarra magica con un difetto di fabbricazione.

IL FOLLETTO DELLE BRUTTE FIGURE

> Dimenticati tutti gli scioperi, di colpo: le urla di morte, le barricate, le comuni, le minacce di impiccagione ai lampioni, la porpora al Père Lachaise, e il caglio nero e aggrumato sul goyesco abbandono dei distesi, dei rifiniti; e le cagnare e i blocchi e le guerre e le stragi, d'ogni qualità e d'ogni terra; per un attimo! per quell'attimo di delizia. Oh! Spasmo dolce! Procuratoci dal reverente frac: "Un taglio limone-selz per il signore, sissignore..."
>
> (CARLO EMILIO GADDA)

– Ma quello non è Vantone?

– Quale dici?

– Quello che sta scendendo dal taxi.

– Vantone l'esperto di mondanità?

– Proprio lui. Non hai letto il suo libro "La vera classe"? Ha venduto più di duecentomila copie. Guarda com'è elegante con lo smoking. Guarda con quale nonchalance ha congedato il tassista...

– Sta andando certamente a una festa.

– Credo di sapere quale. Vedi quel portone in cui stanno entrando le due signore in pelliccia?

– Sì. Chi ci abita?

– La contessa De Meres. È la casa più esclusiva della città e oggi si festeggia il compleanno della contessa. Solo duecento invitati. Essere lì significa davvero far parte dell'élite mondana della città.

– Come fai a saperlo?

– L'ho letto sul giornale. C'è tutta la gente che conta: politici, attori, scrittori...

– Guarda, infatti lì c'è Alberti: Dio com'è vecchio! E com'è ingrassato! Sembra proprio che quello smoking gli vada stretto...

157

– Mi sa che la contessa non gli risparmierà una delle battute feroci che l'hanno resa famosa.

– Guarda... Vantone si è fermato a parlare con un bambino.

– Non è un bambino... è un nano... un nano con un cappotto lungo fino ai piedi.

– Certo lui non va alla festa dei De Meres.

– Vantone sembra piuttosto infastidito...

– Insomma, si levi dai piedi... le ho già dato mille lire.

– Non voglio soldi, signore.

– E cosa vuole? Ho fretta.

– Vorrei il suo fazzoletto, signore... per soffiarmi il naso.

– Lei è pazzo! Si vede lontano un miglio che lei non si lava da chissà quanto tempo... e poi il fazzoletto mi serve, sto andando a una festa.

– Mi permetto di insistere.

– Se lo soffi con le dita.

– Non sarebbe di buon gusto, signore...

– Ah, buon gusto! forse lei non sa con chi sta parlando!

– No, con chi?

– Con Domenico Vantone, scrittore e sociologo, autore del libro "La vera classe".

– E lei sa chi sono io?

– Lei è un nano fastidiosissimo con un cappotto troppo grande nonché di pessima fattura... si levi dai piedi.

– Io sono il folletto delle brutte figure.

– Come?

– Il folletto delle brutte figure. Mi dia il fazzoletto o se ne pentirà.

– Si tolga dai piedi, mostriciattolo!

– Signore... quell'ometto le ha dato fastidio?

– Sì. Mi meraviglio che lo facciate restare qui davanti!

– Provvedo subito. Michael, allontana quel pezzente...

sì, quel nano cui il signor Vantone ha appena dato una pedata... che non importuni più gli invitati!

– Contessa De Meres, sono lieto e onorato di essere ospite nella sua casa. Permetta che mi presenti: Domenico Vantone.

– Benvenuto! Chi non la conosce! La seguo sui giornali, in televisione... lei si occupa di un argomento che purtroppo pochi apprezzano: il buon gusto! E modestamente io credo di essere un'intenditrice, se non proprio quanto lei...

– Oh contessa... il suo stile e la sua classe sono un esempio inimitabile per la mondanità ahimè spesso dilettantesca di questa città...

– Ebbene, venga allora a conoscere gli altri ospiti... le presento le mie figlie Veronica e Ottavia... ragazze, vi lascio con uno dei beniamini della serata. E ora vogliate scusarmi...

– Una madre incantevole per due figlie incantevoli.

– Ho letto il suo libro signor Vantone... è scritto in modo divino.

– E c'ho fatto anche un bel po' di grana.

– Come ha detto, scusi?

– Ehm, no... volevo dire... mi ha fatto avere un bel po' di grane... piccole invidie, risentimenti di chi ho criticato. Ma certo qui starò a mio agio: siamo tra simili, questa è un'Università del bon ton.

– Oh sì! Noi selezioniamo molto... non amiamo la gente volgare... sono io stessa ad esempio a scegliere i camerieri e, lei mi perdonerà la franchezza, non amo quelli di colore... trovo che sia un vezzo da nuovi ricchi... non vorrei sembrarle razzista, ma... per quanto li si ripulisca sono sempre un po' scimmieschi.

– Su Veronica, non ricominciare con questi tuoi discorsi... venga al buffet signor Vantone... me ne occupo sempre io personalmente.

– Si vede.

– Se questa vuole essere una battuta sulle mie misure, non è nuova, signor Vantone. So di non essere una silfide.

– Per carità... non mi sono spiegato... volevo dire che si vede che c'è nella preparazione di questo buffet molto più del semplice impegno professionale di un pasticciere o di un cuoco... c'è lo stile di una padrona di casa... tutti sono capaci di prenotare il buffet preconfezionato da un Cairoli qualsiasi...

– Lei ha un occhio clinico, Vantone... infatti il buffet è proprio del Cairoli "qualsiasi", il più prestigioso ristoratore della città.

– Meno male che se ne è andato, Veronica... e meno male che è un esperto di buongusto!

– Mi è sembrato davvero maleducato... o forse queste provocazioni fanno parte di un nuovo modo di essere brillanti.

– Preferisco il vecchio stile, allora...

– Caro Vantone, felice di vederla... Lei conosce già l'onorevole Chiodi e l'attore De Bozza? Si sta divertendo?

– Sì, Ghislandi, per quanto... non capisco...

– Che cosa?

– Non lo so Ghislandi, venga qui un momento... mi è successa una cosa terribile con le figlie della contessa... due gaffes imperdonabili... una con la cicciona... volevo dire la maggiore delle sorelle... Le parole mi sono uscite di bocca senza che me ne rendessi conto... Come potrò rimediare?

– Oh, io credo che in materia di educazione nessuno possa insegnarle niente. Comunque potrà rifarsi nel resto della serata.

– Lo spero... ma mi sento strano.

– Via, via... non posso certo darle consigli in fatto di donne.

– Lo credo bene, dato che lei è finocchio!

– Vantone, ma come si permette...

– Mi perdoni... io non capisco cosa mi succede... volevo dire...

– Vantone, su, non si apparti con Ghislandi... abbiamo

molte cose da chiederle. Ad esempio: in quali casi va fatto il baciamano?

– In quali casi?

– Sì... mettiamo che io voglia presentarmi a quella signora là...

– Quella truccata come una baldracca vicino a quello scheletro?

– Si dà il caso, signore, che lo scheletro sia mia moglie, e la baldracca la moglie dell'onorevole qui presente.

– Hai sentito? Sembra che tra Vantone e le figlie della De Meres non sia scattata la scintilla della simpatia.

– Eppure lui è proprio un bell'uomo, elegante...

– Sì, ma... non ti sembra che abbia i pantaloni sbottonati?

– Mio dio, è vero...

– Signor Vantone...

– Mi dica.

– La avviso che ha i pantaloni completamente aperti sul davanti...

– Mio dio è vero... dove posso abbottonarmeli?

– Vada là dietro.

– Là dove? Ma qua non ci sono porte... insomma ci sarà pure un cesso in questa casa di merda... senta lei, dov'è il cesso?

– La toilette, come noi francofili ci ostiniamo a chiamarla, è lì in fondo, e in questa casa di merda ce ne sono altre sette, e lo dico con cognizione di causa perché sono il proprietario, il conte Augusto De Meres.

– Dio, dio, sono rovinato! Ma cosa mi sta succedendo? Anni di lavoro, di paziente presenza nei salotti, di pubbliche relazioni e stasera mi sto giocando tutto... ma perché parlo a vanvera? E questi pantaloni aperti... eppure ricordo bene di averli abbottonati... Cristo, cosa ci fa lei qui?

– Si sta divertendo?

– Cosa fa lassù sul lampadario? Com'è entrato?

– Ha bisogno di me, signore?

– No, non ce l'ho con lei, cameriere: sto parlando a quell'orribile nano verde sopra il lampadario.

– Io credo che lei abbia bevuto troppo, signore.

– Ma che bevuto e bevuto. Non lo vede, lassù?

– No, Vantone. Non può vedermi. Solo lei può. Si convinca: io sono un folletto, il folletto delle brutte figure. E se ripensa a quello che le è successo stasera dovrebbe credermi.

– Vorrebbe dire che è lei che... che mi fa fare...

– Sono io e gliene farò fare ancora.

– Sgorbio immondo... rovinare la reputazione a me, il numero uno della mondanità cittadina...

– Piano, piano. Forse ora è il numero dieci.

– Se ti becco!

– Hai sentito? Hanno trovato Vantone ubriaco nella toilette che tirava scarpe contro il lampadario.

– Certo una cosa è scrivere di classe, e un'altra cosa è averla...

– Che faccia tosta! Darsi tante arie da maître à penser e poi guardatelo lì...

– Ma cosa fa? Ha portato via il bicchiere a una signora...

– Cosa fa, screanzato!

– Mi scusi... credevo che fosse una cameriera.

– Le sembra che mia moglie assomigli a una cameriera?

– Oh certo che no, è il vestito che mi ha ingannato... oh, sono costernato... posso rimediare aiutandola a riempire il piatto? Vuole dei pomodorini ripieni signora? Vuole un po' di caviale? Su, ne prenda a volontà, chissà quando potrà rimangiarne dell'altro... mi scusi... le ho macchiato tutto il vestito.

– Metta giù le mani da mia moglie!

– Sono desolato... oh dio, cosa mi sta succedendo... posso versarle da bere, signore? Tenga fermo quel bicchiere per dio! Per forza che gliel'ho versato sui calzoni... Via, non la faccia così lunga... ecco adesso ci pensa la signora a sistemarle i calzoni che di queste cose se ne intende... oh dio! Devo sparire!

– Ma chi è quel pazzo che corre urtando gli invitati?
– Augusto devo parlarti... Vantone si sta comportando in modo vergognoso... penso che non sia il caso che rimanga oltre.
. – Ma cara, ti rendi conto? Espellere un invitato... non è mai accaduto a casa nostra...
– Guardalo lì... è seduto per terra e piange...
– E si sta soffiando il naso nel vestito della marchesa Blondel.
– Ah questo non puoi permetterlo... caccialo subito!
– Sì, cara... ma dovrò essere prudente... è pazzo, non vedi che sta parlando con il tavolo?

– Esci fuori di lì sotto, nano maledetto... è tutta colpa tua!
– Allora mi crede adesso?
– Non lo so... so che mi sto comportando come un pazzo... se lei è la ragione di tutto questo, la supplico di smetterla.
– Forse...
– Ecco il mio fazzoletto... ci si soffi pure il naso.
– Poteva decidersi prima... comunque grazie.
– Allora, la smetterà di tormentarmi?
– Non lo so...
– Come non lo so... Dov'è andato? Dov'è finito?

– Signor Vantone, non so cosa stia cercando sotto il tavolo, ma la prego di seguirmi di là.
– Sì, signor conte... oh io posso spiegarle... spiegarle tutto... il folletto verde...
– Si calmi... lei è alterato... la prego di lasciare subito la mia casa, ha già offeso abbastanza ospiti.
– Ma io posso spiegarle... non mi permetterei mai di of-

fendere una casa che da sempre è per questa città un'oasi di stile nella volgarità imperante... questi ospiti squisiti... che il nostro paese non merita... e che qualcuno solo perché escluso si permette di criticare mentre da essi e solo da essi viene quella cultura del raro e del per pochi che distingue un paese civile da un paese del terzo mondo.

– Le sue parole mi lusingano... ma devo dire che lei, finora...

– Ma non ha dunque capito? È stato uno scherzo... uno scherzo crudele ma necessario... sì, solo così io potevo far risaltare lo stile di questa casa... solo fingendo l'intrusione di una subitanea, inattesa volgarità... le chiedo perdono per questa iniziativa a cui mi ha portato l'immenso amore per l'arte, per la scienza della mondanità. Io ho voluto mostrare il buio affinché più radiosa splendesse la luce... affinché la vostra composta, indignata reazione rivelasse ancor più fulgidamente ciò che io sapevo... che al mondo esiste ancora un posto di gente di vera classe!

– Hai sentito la bizzarria di Vantone?

– Sì... ha finto di essere maleducato.

– Lo trovo molto spiritoso.

– In verità io non ci trovo nulla di spiritoso.

– Forse ha ragione... queste feste sono spesso noiose. In fondo, non è un segno di classe dare verve alla serata?

– E soltanto un uomo di classe può osare di mostrarsi villano, proprio perché sa di non esserlo!

– Infatti ora è lì che tiene banco e affascina l'uditorio con la sua conversazione.

– Sarà... ma se uno fa il maleducato è maleducato e basta.

– Forse noi siamo vecchie, marchesa Blondel... forse la nuova classe è questa: soffiarsi il naso nelle nostre sottane.

– Mah...

– In verità nel mio ultimo viaggio in America di classe ne ho vista ben poca... pensate che in uno dei ristoranti più pretenziosi di New York un cameriere aveva pantaloni così corti che gli si vedevano i calzini bianchi... e sapete come diceva Montmorèl: il calzino bianco corto sta bene solo a un cavallo.

– Adoro Montmorèl.

– Gentiluomo d'altri tempi... io lo frequento e vi assicuro che è un ospite squisito.

– È vero che nella sua villa ha una piscina a forma di fallo?

– Assolutamente vero.

– E lei lo trova di buon gusto?

– Forse un tradizionalista del bon ton avrebbe qualcosa da ridire... ma io penso che ci sia una certa ironia in quella piscina... insomma penso che ad alcuni siano permesse cose che non lo sono ad altri.

– E la sua piscina ideale com'è?

– Martini freddo, acqua tiepida, donna calda.

– Che uomo spiritoso!

– Comprerò subito il suo libro.

– E ci dica: come si riconosce un uomo di successo?

– Dallo sguardo?

– Da ciò che dice?

– Signori, calma. Non è facile rispondere: diremo così: un uomo a cui tutti chiedono la definizione di uomo di successo è certo un uomo di successo.

– Alla faccia della modestia.

– La modestia, come dice il nome, è la virtù delle persone modeste.

– Ma lei ha avuto dei maestri?

– Beh, dovrei dire che ho avuto dei maestri alla rovescia... è proprio dagli esempi negativi che si impara... dal popolino volgare che vediamo per strada... la sua malagrazia spacciata per genuinità... la sua ignoranza, ineleganza, goffaggine per giustificare le quali digrignano pretese di ingiustizia... io non ho peli sulla lingua: signori, una persona superiore è una persona superiore e basta... una persona brutta è brutta... un purosangue è un purosangue e un nano è un nano!

– Mi ha chiamato?

– Oh, no!

– Cosa c'è signor Vantone... è impallidito, non si sente bene?

– No, lui... io... potrei avere qualcosa da bere?

– Ma lei trema!

– Non è nulla, credetemi.

– Vantone, io e mio marito litighiamo spesso su come e quanto si deve profumare un uomo.

– Modestamente ho studiato a fondo la cosa... dunque ci sono vari tipi di uomini...

– Bada Vantone! Per quello che hai detto io, folletto delle brutte figure, in virtù dei poteri a me conferiti ti condanno a sparare subito dieci peti di cui l'ultimo ti sarà fatale!

– No!

– Cosa c'è, Vantone?

– Voglio dire, no! Non a tutti è concesso profumarsi... ogni uomo ha un profumo adatto... ahimè, ecco il primo!

– Vantone ma perché parla così ad alta voce?

– È un argomento a cui tengo particolarmente... ecco il primo consiglio che vi do, dicevo ahimè; due, tre, quattro! Quattro sono i tipi di profumo: l'aggressivo, il sensuale, il virile, lo sportivo, oh dio, cinque!

– Quattro o cinque?

– Cinque! Avevo dimenticato il nostalgico, che si addice a uomini di una certa età, con un fascino sfaccettato, fatto di nuances, mentre: sei! Sei forse tu adatto a un profumo forte, di quelli che fanno centro al primo colpo? Sì, a patto che tu sappia imporre la tua personalità. Del resto: sette!

– Perché si agita così?

– Sette! Ahimè no, otto! Otto uomini avrò conosciuto nella vita che avevano un profumo diciamo così ad personam; bastava entrare in un posto per accorgersi che c'erano... era come se avessero quel certo... Aiuto: nove!

– Nove?

– Nove è il mio profumo preferito.

– Mai sentito nominare.

– Lo fa solo per me un piccolo profumiere in rue de Rivoli... è un aroma di tabacco ed elicriso molto pas-de-loup, ma vi assicuro che l'effetto è inarrivabile... sembra...

– Un tuono!

– Mostruoso!

– Signor Vantone, ma come si permette!

– È malato... allontaniamoci...

– Non resisto un secondo di più a questo miasma!

– Presto... si stanno spaccando tutti i bicchieri di cristallo.

– Cara, cara, appoggiati a me... ti porto via subito...

– Signor Vantone, io non so come lei riesca a ottenere questo disgustoso effetto speciale, ma come padrone di casa le ordino di interrompere...

– Ho udito qualcosa di simile solo in guerra, quando sul fronte delle Ardenne...

– Generale, venga via, non resti lì.

– Aprite le finestre!

– Camerieri fate qualcosa! Fatelo smettere!

– Signore, cosa possiamo fare...

– Sta volando!

– Sta volando... come un aereo a reazione.

– Guardatelo lì: vola via, rosso di vergogna.

– Signori, prego... potete uscire da sotto i tavoli.

– Portate dell'aceto.

– Non entrerà mai più in un salotto di questa città, anzi di questo Paese, ve lo assicuro!

– Che individuo orribile!

– Sono desolato... come suo editore posso solo promettere che manderò al macero tutte le copie del suo libro... Se solo avessi immaginato...

– Pronto? Sono il direttore, passami subito il capo redattore... pronto, sto telefonando da casa De Meres, ho una notizia sensazionale... allora rifacciamo la prima pagina... sposta l'Iran e i due uccisi dalla mafia in seconda e apri con questo titolo a quattro colonne:

Occhiello: Terremoto nella mondanità.

Titolo: "È finita l'era Vantone."

I QUATTRO VELI DI KULALA

> SONNO! ... spazzino di rancore!
> (Tristan Corbière)

In un villaggio sul fiume Yuele viveva un uomo che si chiamava Doruma ed era molto fortunato. Aveva una bella moglie, due figli sani e un campo fertile. Era un buon cacciatore e nel villaggio non aveva nemici. Fu così che Shabunda, il diavolo del bosco, vedendolo cantare e fumare davanti alla capanna come il più felice degli uomini, ne ebbe invidia. E per dispetto una notte entrò nella capanna, gli infilò le unghie adunche nei capelli e da lì gli sfilò via il sonno. Doruma si svegliò di colpo, destò la moglie Oda e le disse che un'ombra maligna l'aveva sfiorato. – È stato solo un brutto sogno – disse Oda – torna a dormire.

Ma Doruma non dormì né quella notte, né la notte dopo, né tutte le notti di quella luna. Anche se per tutto il tempo lavorava e cacciava, così da tornare a casa stanco da non reggersi in piedi, il sonno non veniva. Provò a farsi accarezzare con la coda di un ghiro Chaqui, a bere l'erba Terené che fa inginocchiare anche gli elefanti, cercò di dormire sulla terra e sugli alberi e sulle pietre del fiume, ma non ci fu nulla da fare.

Venne lo stregone del villaggio e vide in che stato si trovava. Disse che il diavolo Shabunda gli aveva rubato il sonno, e non c'era magia che potesse ridarglielo; così sarebbe morto entro breve tempo. Poteva salvarlo solo Kulala, lo spirito del sonno, la cui dimora era al di là delle montagne. Egli aveva sicuramente molti sonni, poiché era lui che li costruiva per Yumau, il creatore. Ma Doruma era troppo debole per fare il viaggio.

Allora Oda, la moglie, disse: andrò io da Kulala lo spirito del sonno. E poiché era una donna coraggiosa prese una zucca d'acqua, un po' di cibo e un bastone, e partì per le montagne. Camminò molti giorni, quasi senza riposare. Scalò le montagne blu di Alowa e arrivò nella valle del bosco sacro di Kulala.

Sul limitare del bosco gli uccelli cantavano, le scimmie urlavano e il vento scuoteva gli alberi. Ma appena Oda si inoltrò nell'ombra un grande silenzio la avvolse. Nel bosco del sonno non una foglia si muoveva, gli uccelli erano muti e si vedevano strisciare solo i serpenti silenziosi. Oda camminò a lungo e le foglie non frusciavano sotto i suoi passi. Il bosco era sempre più fitto e oscuro, finché giunse davanti a un grande albero cavo, la casa di Kulala. Oda entrò e vide lo spirito che dormiva su un'amaca. Rimase in attesa che si svegliasse. Kulala dormì per un quarto di luna, e quando si destò vide la piccola donna nell'angolo della sua casa.

– Chi sei e perché sei venuta? – urlò adirato.

– Kulala, spirito del buio che ristora, io ti prego. Un diavolo maligno ha rubato il sonno a mio marito ed egli morirà se non gli porto un sonno nuovo.

– E perché mai dovrei dartelo?

– Perché ho camminato per molto tempo, i miei piedi sono feriti e sono stremata, eppure quando ti ho visto dormire non ti ho svegliato, ma ho atteso con pazienza.

– E sia – disse Kulala – là su quel tavolo ci sono i pezzi del sonno di un uomo. Ogni sonno è fatto di quattro veli. Se tu saprai riconoscerli, potrai portarli a tuo marito ed egli riavrà il sonno perduto. Ma sta' attenta a scegliere i veli giusti, o la tua sorte sarà tremenda.

– Non ho paura – disse Oda.

Allora Kulala la condusse davanti a una pietra dove erano stesi i veli.

– Ecco due veli bianchi – disse. – Uno è quello del silenzio, l'altro è quello dei rumori della notte. Scegli.

Oda guardò i due veli e le sembrarono uguali. Ma una mosca volò sopra di essi. Ronzò sopra il primo, ma non fece alcun rumore quando volò sull'altro. Oda prese il secondo e se lo mise sul capo.

– Hai indovinato – disse Kulala. – Ora guarda questi due veli colorati. Uno è quello dei sogni e l'altro quello dei fantasmi della notte. Se prendi quello sbagliato tutti i demoni e gli incubi balzeranno su di te e ti uccideranno.

Oda li guardò e li trovò uguali. Allora prese un piccolo ragno e lo mise tra i due veli. Da uno sbucò un orribile ramarro con tre teste che mangiò il ragno. Oda prese l'altro.

– Sei astuta, donna del fiume – disse Kulala – ora ecco due veli neri. Uno è quello del buio e l'altro è quello della luce di fuoco. Uno porta il sonno, l'altro acceca.

Oda li guardò. Poi prese da una foglia due gocce d'acqua e le lasciò cadere sui veli. Una di esse evaporò per il calore della luce. Oda prese l'altro velo.

– Brava, donna del fiume – disse Kulala – ma ora ti attende la prova più difficile. Ecco due veli rossi. Uno è quello del sonno, che insieme agli altri tre ridarà la pace alle notti di tuo marito e alle tue. L'altro è il velo del sonno eterno, la morte. Se lo toccherai, morirai.

Oda stavolta non esitò e ne scelse subito uno. Era proprio quello del sonno. Lo mise sul capo e subito cadde addormentata. Quando si svegliò, Kulala la guardava sorridente e le porgeva una tazza di hakarà caldo.

– Mi hai sorpreso, donna del fiume. Con quale magia hai riconosciuto il velo del sonno, il più misterioso di tutti?

– Nessuna magia – disse la donna – ho lavato per tanti anni i panni nel fiume, e so riconoscerli. Il velo del sonno era più consumato perché viene usato per tante volte e tante notti. Il velo della morte era più nuovo, poiché si usa una volta sola.

Kulala rise e con un soffio la fece volare fino alla soglia della sua capanna. Oda mise i quattro veli sulla testa del marito e quello finalmente dormì, e fu salvo.

AUTOGRILL HORROR
(Un posto caldo, pulito, illuminato bene)

> I read the news today oh boy
> about a lucky man who made the grade...
> Oggi ho letto il giornale, ragazzi
> parlava di un uomo fortunato che ha raggiun-
> to la meta...
>
> (MC CARTNEY-LENNON)

Una Fiat milletrecento va nella notte sull'autostrada che porta dal lavorare al mare e viceversa.

Dentro il milletrecento c'è:

Il padre che ha i nervi.

La madre che ha sonno.

Il figlio che ha sete.

La figlia che le scappa.

Stanno tornando da una vacanza di tre giorni al mare l'albergo non era sul mare c'eran molte zanzare le cotolette eran dure.

La madre dice appena vedi un'area di servizio fermati.

Il padre dice non mi fermo la prossima mi fermo quella dopo.

Il figlio dice io ho sete subito.

Il padre dice ho detto la prossima qua nella Fiat comando io. La figlia sta per dire qualcosa ma la mamma la blocca se no quello è capace di fermarsi alla prossima dopo la prossima dopo la eccetera.

La luna sta nel cielo imbarcadero del gran mistero, passano grossi camion transeuropei carichi di surgelati, residui radioattivi e maiali tristi.

Un Tir sorpassa la Fiat e il padre sportivamente dice:

– Si ammazzasse!

Un chilometro più avanti c'è un incidente con cartocci di macchine, benzina per terra, topazi di parabrezza, ambulanze, polizia e numerosi curiosi sanguinari.

– Papà fermiamoci – dice il figlio speranzoso – forse ci sono dei morti.

– Non fermarti – dice la moglie – mi fa senso.

Il padre pensa come può fare per scontentare tutti. Passa, si ferma un attimo e riparte. Poi commenta:

Non bisogna guidare a quest'ora di notte se non si è abituati, io sono abituato capisco le situazioni un attimo prima, già da dietro mi basta guardare chi è alla guida, se è una donna, se è un uomo con cappello, se è una Prinz, se ha la targa Escursionisti Esteri, se è targata Napoli, se è una donna, se ha l'adesivo col Panda, se è uno che sta troppo vicino al volante, se è una macchina gialla, se è una donna, vuol dire che non sanno guidare.

Segue silenzio. Il figlio si mette a fantasticare su una donna col cappello che guida una Prinz gialla targata Napoli. Vorrebbe discuterne ma dalla bocca gli esce solo un flebile:

– Ho sete.

– Resisti!

– Me la faccio addosso!

– Resisti!

– Buoni, adesso papà si ferma...

– Chi te l'ha detto?

Area di servizio chilometri tre.

Ci si ferma ci si ferma poi ci si lamenta perché ci si arriva tardi a casa. Non potete resistere altri due-trecento chilometri?

Area di servizio chilometri due.

Si para davanti al milletrecento il culone di un Tir di barbabietole. Ma cosa si crede, il padrone della strada? Adesso lo sorpasso, e si becca questa serenata di clacson.

– Amore – dice la moglie – a questa velocità ci metterai dieci chilometri per sorpassarlo e così sorpassiamo anche l'area di servizio.

174

– Io lo brucio – dice il padre.

– Forza papà – dice la prole.

Si affiancano al mostro, guadagnano terreno, arrivano all'altezza della cabina, si scambiano sguardi d'odio eterno, il camionista accelera, il padre conficca il piede nel pedale.

Duello nella notte.

1) Un milletrecento Fiat e un Tir di barbabietole 2) sull'autostrada del destino 3) ai centoventi all'ora 4) si giocano il futuro.

Se il camionista perde sarà pericolosissimo tutta la notte.

Se il padre perde, riuscirà a conservare il rispetto della famiglia?

Approfittando di un tratto in leggera salita il padre guadagna centimetri preziosi e passa in testa, quindi avvista l'area di servizio, sterza a destra, taglia la strada al camion, frena, sbanda, entra a tutta velocità nel parcheggio, sfiora i distributori di benzina, rifrena, risbanda e si ferma a venti centimetri dai vetri dell'Autogrill.

Le gomme fumano. Il figlio è a testa in giù e gambe in su, la figlia è nel bagagliaio, la madre è distesa sul parabrezza e ha perso un tacco, il padre è in estasi.

– Bel modo di fermarti – dice la madre.

– L'ho fatto per voi, avete insistito...

Bugiardo! L'ha fatto perché così il camion non potrà più risuperarlo e la gara è vinta. Per l'eternità!

Stanno i quattro nel parcheggio vuoto, sotto la luce lunare nessuno, oltre loro nessuno, solo il fremito di un'insegna e il passare di camion lontani, oh la bellezza dei parcheggi notturni come isole tropicali nel mare delle rotte benzopireniche, brividi di starter, felini in agguato nei cofani.

Luminoso e pulsante li ingoia il Grill in cui entrano fieri e decisi a tutto. Quattro pistoleros in braghe corte, con gambe e braccia ustionate in diverse tonalità: fragola il padre amarena la madre salmone il figlio mortadella la figlia.

Si guardano intorno fiutando la preda. Bibite panini orsacchiotti cioccolatini mitra per bambini torte tipiche dei chilometri limitrofi prosciutti ibernati giornali tettuti video-

175

cassette cassette pannoloni caramelle molli caramelle dure pandori panpepati pandolci panasonic e un provolone mostruoso, bianco.

Essi sono entrati nel labirinto del benessere senza paura poiché possiedono il filo, il magico filo del danaro e il padre, estratto il portafoglio come una Colt, già si dirige verso la cassa ove sta una commessa piccola, ossigenata, itterica.

– Cosa prendete? – dice il padre.

– Goca – dice il figlio.

– Goca – dice la figlia.

– Gaffè – dice la madre.

La sfinitezza arroca i viandanti.

– Due goche e due gaffè di gui uno haaaaag.

– Nient'altro? – provoca la commessa.

Il padre le lancia un'occhiata del tipo guardi che se voglio io compro tutta l'azienda. Poi con un gesto imperioso pilota tutti verso il bar. Il barista è un orango sgraziato con una rivista porno sotto il bancone, tutta la notte lì da solo, o magari se la fa con la commessa, guarda che orrore dei sandwich lividi dei panini lungodegenti delle torte morte dei tramezzini putrefarciti. Quanto è triste tutto ciò. Da dietro al bancone viene una musica arcana, inquietante. Le parole dicono:

Luglio col bene che ti voglio vedrai non finirà
Luglio ho fatto una scommessa l'amore vincerà.

Al suono di questa musica essi consumano, poi discendono nelle bianche catacombe delle toilettes. Vaste e silenziose, tutte per loro. Pisciano. Si lavano. Si asciugano con il simùn a gettone. Si guardano in specchi immensi, quadri di un museo del week-end. Sì, un po' di sole lo abbiamo preso. Si stirano, si rilavano, si riasciugano. Ripiscerebbero, potendo.

– Andiamo – dice il padre.

– Restiamo un altro po'... è così bello qui...

Ma altre avventure li attendono. Altri sorpassi. Tirs, camions, rulóttes, váns, campérs. E poi di nuovo caffè, specchi, soste. E poi...

Rientrano nel labirinto magico, tra pareti di videocassette pannoloni prosciutti precotti sandali giapponesi accessori per auto borse termiche e un provolone mostruoso, bianco. Vanno in fila indiana seguendo i cartelli che promettono "Uscita". Ed incontrano giocattoli cibarie tampax crackers visitors videocassette offerte speciali e un provolone mostruoso, bianco. Appetitosi corridoi, tornanti salati, dolci curve. E dopo tanto vagare si ritrovano come per magia davanti alla cassa dove l'ossigenata li guarda sinistramente, verde di insegna e dice:

– Allora, ve ne andate senza comprar niente?

Ma guarda che sfacciata pensa il padre un po' inquieto, adesso chi li sente questi e infatti il figlio fievole vuole una merendina la figlia flebile il gioco degli uomini-insetto la moglie roca una tovaglina ma l'uscita non riappare e vagano nel labirinto e minacciosi li circondano cotechini e sandali giapponesi e torte briciolone finché si fermano smarriti.

Ma ecco che d'improvviso un'ombra s'allunga sulle pareti e risuonano passi pesanti: nel labirinto appare l'orango del bar con un coltellaccio da arrosti in mano. E ringhia:

– Allora, credevate di cavarvela con due coche e due caffè?

I quattro fuggono, fuggono inseguiti e il provolone cade davanti a loro e rotola immenso e li travolge. Si rialzano e corrono ma davanti a loro si erge un muro spaventoso di videocassette orsacchiotti pannoloni frisbee biscotti accessori per auto uomini insetto e un mostruoso canotto, giallo.

Sono in trappola: l'orango del bar avanza a grandi passi, ghignando e digrignando i denti.

E nessuno sentirà le urla nel fragore di torrente dei camion che scorre inarrestabile.

E chi si accorgerà del rottame di auto in fondo al prato?

E della valigia rotta con pochi calzini due palette da sabbia un giornalino un cappello di paglia uno spray antinsetti un dopobarba?

E chi ascolterà la pena della luna, il moritat dei grilli e lo strillo del maiale, dentro il camion, verso il suo destino?

RACCONTO BREVE

> Con quel caldo – trentatré gradi – in boulevard Bourdon non un'anima...
>
> (GUSTAVE FLAUBERT)

C'era un uomo che non riusciva mai a terminare le cose che iniziava. Capì che non poteva andare avanti così. Perciò una mattina si alzò e disse:

"Ho preso una decisione: d'ora in poi tutto quello che inizie..."

IL PORNOSABATO DELLO SPLENDOR

And he'll die without a wimper
like every heroes dream.
Just an angel with a bullet
and Cagney on the screen.

E morirà senza un gemito
come sognano gli eroi.
Un angelo con una pallottola
e Cagney sullo schermo.

(TOM WAITS)

Sono anch'io di Sompazzo, un paese piccolo che una volta era ancora più piccolo. Ero giovane e i tempi erano diversi. Allora nel nostro paese il massimo del peccaminoso erano i calendari da barbiere e quelli da meccanico. Alcuni erano celebri, come il calendario delle gomme Fazioli, in cui miss Gennaio aveva un bikini di catene da neve e miss Luglio si abbronzava spalmandosi l'olio dei freni. Noi ragazzi andavamo a turno nell'officina per guardarlo, e c'era un raccoglimento da Louvre. Una volta che un rappresentante portò da Roma la famosa foto di Marylin nuda sul velluto, ci fu nella zona la perdita di seicento ore lavorative, e bisognò dividerla in quattro per soddisfare le richieste.

Andò avanti così fino a quando non si aprì a Sompazzo il primo locale veramente moderno e spregiudicato, il cinema Splendor.

Esternamente non era un granché: l'entrata sembrava un ambulatorio dentistico, la cassa era un tavolo da cucina e il servizio bar era sempre aperto, nel senso che se dalla finestra chiedevi una birra dal bar di fronte te la lanciavano al volo. L'interno, opera del geometra Portogalli, era invece di gusto squisito. Oltre alle sedie di un delicato verde rana e al pavimento in marmolato, di particolare bellezza era il soffitto. Ad esso il geometra, dopo aver sentito parlare di "cinema a luci rosse", aveva appeso ventotto mostruosi globi purpurei uno accanto all'altro in una struttura imitante la catena molecolare. Questi globi però non funzionavano mai più di tre alla volta, anzi quasi a ogni proiezione un globo cominciava a friggere e scoppiettare coprendo l'audio, al che la maschera gridava "occhio alla mela" e tutti trovavano rifugio sotto i sedili. Il globo precipitava esplodendo e il film poteva riprendere.

Abbiamo detto "la maschera". Infatti il padrone del cinema, avendo appreso che tutti i cinema seri hanno una maschera, aveva vestito il figlio di dodici anni da Zorro. Zorro aiutava la gente a trovare il posto e li invitava a tenere le scarpe, almeno per il primo tempo.

La programmazione iniziale del cinema Splendor fu varia, dovendo accontentare un po' tutti. Il primo cartellone era scritto interamente a mano e, se ben ricordo, era il seguente:

Domenica – Film *Breve incontro* con Trevor Ovard e Celia Gionson. Sentimentale americano per tutti.

Lunedì – *Missione disperata* – Con Gary Cooper – Guerra azione e bombardamenti per chi non ne ha avuto abbastanza.

Martedì – *I sette samurai*. Per persone di una certa cual cultura.

Mercoledì – Riposo.

Giovedì – *Bambi* – di Walt Disney – Una delicata fiaba per grandi e piccini.

Venerdì – *Maciste contro il Minotauro* – Con Maciste. Per tutti.

Sabato – *Giochi proibiti di ragazze per bene* – di Adults Only – Vietato ai minori di 16 anni.

L'apparizione del cartellone suscitò molti e svariati commenti. I bigotti del paese dissero che eravamo ormai una succursale di Sodoma, che la maggior parte di noi riteneva in provincia di Parma. La proprietaria del bar, Rita detta Ritona, opinion-leader delle donne, obbiettò che "o si è per bene o si fanno i giochi proibiti", lei non era moralista ma "ci piaceva la precisione".

Molti chiesero chi era Adults Only e il padrone del cinema rispose che era un regista americano specializzato in film porno e c'era il suo nome su moltissime pellicole.

Dante il rappresentante litigò col geometra sui nomi in inglese, soprattutto sul fatto se Gary Cooper si pronuncia Cóper o Cúper.

– Ignorante – diceva il geometra – non lo sai che la doppia o si pronuncia "u"?

– Ah sì? – rispose Dante – e tu come dici, coóperativa o cúperativa?

E la ebbe vinta.

Il debutto col film sentimentale americano ebbe un grande successo, ma poiché erano intervenute tutte le vecchiette mezzo sorde del paese, ogni tanto qualcuna si alzava in piedi e diceva: – Non ho capito cosa hanno detto, torni indietro per favore. – E l'operatore doveva ripetere la scena. Così *Breve incontro* durò esattamente cinque ore e mezza.

Anche per *Missione disperata* ci fu qualche problema. Dovete sapere che a quei tempi non era possibile che sullo schermo apparisse un aereo senza che tutti cercassero di abbatterlo con la bocca. I più famosi rumoristi da cinema, allora, erano i tre fratelli Miti, i quali erano in grado di emettere qualsiasi suono dalla mietitrebbia al grillotalpa. Perciò appena sullo schermo apparve la squadriglia giapponese, dalla sala partì una controffensiva che fece tremare il soffitto e schiantare quattro globi.

Cominciarono a volare bottiglie e scarpe, e quando apparve l'ammiraglio Yamamoto dall'ultima fila si alzò tale Bigattone, ex-partigiano, e tirò una gran fucilata sullo schermo. All'uscita, a chi chiedeva com'era finito il film, il pubblico unito rispose "Non lo so ma abbiamo vinto noi."

Al film del martedì c'era un pubblico misto. Gli intellettuali della zona, e anche molti salumieri e commercianti, perché era girata la voce che il film si chiamava "i sette salumai", vita amore e morte nel sordido mondo dei prosciutti.

Quando Bigattone vide di nuovo i giapponesi, si lamentò perché non lo avevano avvertito di riportare lo schioppo. Inizialmente la spaccatura in sala fu netta. Dalla fila dei salumieri volavano pernacchie come sciabolate e da quella degli intellettuali dei "Zitti!" astiosi. Poi, poco alla volta, il film conquistò tutti. Finì con il pubblico in piedi a roteare sedie e a incitare Toshiro Mifune. Seguirono due mesi di giapponesizzazione della zona. Tutte le volte che si andava a comprare un etto di mortadella i salumieri si esibivano in numeri di spada con l'urlo e ce n'era uno, Maramotti, che cambiò il nome in Maramoto e obbligò la moglie a mangiare la polenta con i bacchettini.

Riposo fu un grande successo perché in trenta pagarono il biglietto e andarono dentro a dormire.

Giovedì *Bambi* fece sessanta spettatori e trecento gelati.

Venerdì per *Maciste* c'era il tutto esaurito. Qualcuno era venuto addirittura vestito da Maciste, cioè senza maglietta. Sudavamo come bestie, perché c'era vera partecipazione allora, e tutte le volte che Maciste alzava la clava partiva l'urlo "Giù l'asso di bastoni", e quando tirava su un macigno metà sala si alzava in piedi, gonfiava il collo e sollevava per solidarietà chi una sedia, chi la moglie. Alla fine del primo tempo parecchi non ce la facevano più dal mal di schiena, e c'era ancora da affrontare il Minotauro.

Il secondo tempo iniziò con la danza del ventre eseguita dalla ballerina sudamericana Chelo Alonso, diva quanto mai amata dalle nostre parti. La scena fu sottolineata da boati di entusiasmo e tentativi di imitazione da parte delle signore presenti, le quali però, avendo una circonferenza assai maggiore della diva, stordirono a culate diversi spettatori.

Alla scena più importante, l'entrata nell'antro del Minotauro, non si sentiva volare una mosca. Quando il mostro apparve ci fu però una certa delusione. Chi diceva che assomigliava alla mucca di Alfredo, chi ad Alfredo stesso. Soprattutto non si era d'accordo sul modo di eliminarlo. Alcuni proponevano il verderame, altri un grosso amo con esca a granoturco. Quando Maciste lo fece fuori a randellate, venne lungamente fischiato perché una bestia non la si ammazza così.

Il film terminava con Maciste che si allontanava a cavallo pronunciando la famosa frase: "Ovunque un forte calpesta un debole il mio posto è là." Il che causò dieci minuti di applausi e il famoso commento di Bigattone "Allora ne hai da fare dei chilometri, Maciste".

Poi venne il giorno fatale: il pornosabato che cambiò la storia del nostro paese. Alle due del pomeriggio già una cinquantina di uomini si aggiravano nei paraggi del cinema dove si sarebbe proiettato *Giochi proibiti di ragazze per bene.*

Alcuni portavano sciarpe fino sul naso nonostante fosse maggio inoltrato. La metà fu catturata e riportata a casa dalle consorti. Ad altri nove mancò il coraggio e una volta arrivati davanti alla cassa cambiarono idea e dissero: – Ha mica visto Enea, che avevo appuntamento con lui qui davanti? – e fuggirono. Di modo ché quando Enea Baruzzi per primo entrò nel cinema, gli chiesero se non si vergognava a fare aspettare tutti quegli amici. Dopo che Enea ebbe rotto il ghiaccio, entrò un manipolo di arditi: io, Bigattone, Ettore, Dante, l'idraulico Talpa, il geometra Portogalli, i fratelli Miti, Spiedino, nonno Celso e per ultima la giornalaia Iris con il figlio Cesarino, perché era convinta che dessero ancora Bambi e nessuno ebbe il coraggio di dirle la verità.

Calò il buio nella sala e fin dalla prima scena, il famoso duetto tra l'idraulico e la cameriera, fioccarono i commenti. L'idraulico Talpa obbiettò che il suo collega del film aveva una chiave inglese sbagliata, ma fu zittito. Tutti ci alzammo in piedi e iniziammo a esprimere il nostro apprezzamento con ansiti e sibili potentissimi. Enea si lamentò che l'interprete maschile copriva continuamente l'interprete femminile e urlava "Via di lì, facci vedere!" Nonno Celso che aveva visto l'ultima coscia nel 1936 e non si ricordava neanche più se era di tacchino, rimase a bocca aperta con le mani in tasca per quel giorno e per i sedici anni successivi. Dante il rappresentante faceva il vissuto e diceva che roba così a Roma si vedeva tutte le sere per strada. La più in difficoltà era naturalmente Iris, alla quale Cesarino chiedeva in continuazione se era proprio Bambi.

– Come no – rispondeva la mamma.

– Ma dov'è?

– Adesso arriva.

Lo choc fu così forte che Cesarino, ancora oggi che ha quarant'anni, ogni volta che va a letto con la moglie lascia la porta aperta perché, dice, magari arriva Bambi.

Finì il primo tempo, segnalato da un fittissimo lancio di birre dalla finestra del bar. Quando cominciò il secondo tempo da dentro al cinema salirono urla disumane e applausi. Si radunò un po' di gente in strada e Ritona la barista commentò che, dal casino che stava succedendo, doveva essere proprio un gran film. E poco dopo, lei e le altre quattro amiche entrarono dentro. Dopo un minuto dalla finestra del cinema fecero segno agli altri di venire subito perché era roba dell'altro mondo. Ed entrarono i vecchi e anche le vecchie e i bambini, tanto che il notaio e la sarta democristiana andarono a chiamare il prete.

– Don Calimero – gridarono – Sodoma e Gomorra! Tutto il paese è a vedere il film porcografico. Sono entrati anche le donne e i minori!

Don Calimero si precipitò davanti allo Splendor e con orrore sentì provenire dall'interno una canea di fischi, urla ed esclamazioni di incitamento "Vai vai, vai così che ce la fai".

– Dio mio, cosa è mai diventata la mia parrocchia – pensò, tornò di corsa in chiesa, prese il turibolo più grosso che aveva e si apprestò a sgomberare la sala con i lacrimogeni.

Apparve sulla porta del cinema roteando il sacro attrezzo e gridando:

– Porci, mi meraviglio di voi! Tutti fuori di qui! Non permetterò nella mia parrocchia questa ignobile esibizione di glutei e cosce e...

Di colpo Don Calimero ammutolì, guardando lo schermo. Da verde divenne bianco poi rosso congestionato. Un'espressione di rapimento gli si dipinse sul volto. Poi con tutto il fiato che aveva in gola urlò:

– Forza Coppiiiiiiiii!

Era successo che, per sbaglio, l'operatore aveva proietta-to, al posto del secondo tempo, il cinegiornale con la vittoria di Coppi al giro d'Italia. Ce lo facemmo proiettare tre volte, e sei volte l'arrivo allo Stelvio.

Il giorno dopo il commento fu:

"Coppi è bestiale. Pensa, nel primo tempo scopa per un'ora di fila, poi salta in bicicletta e vince."

ARTURO PERPLESSO DAVANTI ALLA CASA ABBANDONATA SUL MARE

> Le persone non muoiono,
> restano incantate.
>
> (João Guimarães Rosa)

Il bambino col costume blu aveva camminato per almeno un chilometro di spiaggia. Adesso era fermo davanti a quella casa con tutte le porte e finestre chiuse. Non c'erano i giocattoli di Maria in giardino. Non c'era più l'amaca tra i due alberi. Il bambino si girò allora verso il mare, che era calmo e viola, e si mise a sedere. Disegnava con un bastoncino nella sabbia, per non pensare. La bambina sbucò all'improvviso da dietro una cabina. Lanciò un urlo che nelle sue intenzioni era terrificante.

– Preso!

– Scema – disse il bambino, contento.

Lei prese la rincorsa, saltò e atterrò con una scivolata sui talloni, riempiendolo di sabbia.

– Fatto paura, eh, generale Arturo?

– Ti avevo visto...

– Ma che visto! Ti guardavi intorno che sembravi uno scemo. Facevi così, guarda...

E Maria mimò Arturo Perplesso Davanti alla Casa Abbandonata sul Mare.

– Per forza, ho visto tutto chiuso.

– Stiamo partendo – disse Maria facendo volare la sabbia

189

col piede. – Il nonno non ce la fa... insomma non gli fa bene stare qui, il dottore ha detto che è meglio riportarlo a casa.

– E quando partite?

– Stasera. Non vedi? È tutto chiuso ormai. Già fatte le valigie.

– E i gatti?

– Oh, quelli ritorneranno nel giardino della vicina. Sono furbi.

Il bambino si alzò in piedi anche lui, ci pensò un po' su e si mise con la testa puntata nella sabbia per fare la verticale. Poi ci rinunciò.

– Cosa fai, generale Arturo?

– Siete sicuri che dovete proprio partire? – disse il bambino. Con la testa piena di sabbia sembrava un manichino di negozio.

– Certo che dobbiamo.

– Ma l'estate non è ancora finita. C'è ancora sei giorni di agosto, tutto settembre e ottobre.

– Ottobre non è più estate. E poi è per il nonno. Ha detto che vuol morire nel suo letto.

– Anche qua c'è il suo letto – disse il bambino.

– Nel suo di città. È molto stanco. Ieri notte è stato male e ho dovuto tenergli su la testa mentre la mamma gli dava le gocce. È magro, non pesa niente. Era come tener su la testa di un gatto.

Il bambino sembrò sovrapensiero. Si scrollò un po' di sabbia dai capelli e guardò verso il mare.

– Allora partite per tuo nonno.

– Sì.

– E se tuo nonno guarisce, resterete?

– Credo di sì.

Il bambino sorrise.

– Io posso non far morire tuo nonno.

– Bum!

– Ti giuro. L'ho già fatto con mio nonno l'anno scorso. Gli era venuta la febbre altissima. Il dottore scuoteva la testa. Allora il nonno ha voluto vedermi. Mi teneva la mano nella sua. Poi mentre stavo per andar via, mi ha chiesto un bicchier d'acqua. Io non sono stato attento e gliel'ho versato quasi tutto addosso. Lui ha riso e dopo è guarito.

– Chi l'ha detto?

– Te lo dico io. Il giorno dopo stava già meglio. Una settimana dopo lo abbiamo portato in montagna e voleva farsi una passeggiata appena sceso dalla macchina. Ha mangiato un gran piatto di ciliegie già la prima sera. E ha detto alla mamma: vedi, è stato Arturo col suo bicchiere d'acqua che mi ha guarito.

– Tu sei tutto matto.

– Proviamo – disse il bambino – lasciami provare...

La bambina guardò la casa. Non vide la macchina dei genitori sul lato del garage. Prese per mano Arturo.

– Andiamo – disse.

La casa era buia, tutte le persiane erano chiuse, c'era odore di lenzuola e carta di armadi. Dovettero camminare piano fino alla camera del vecchio, l'unica dove c'era ancora una finestra semiaperta. La camera era piena di valige, c'era anche l'amaca arrotolata e in un angolo i giochi di Maria dentro un cesto. Il vecchio era a letto, con tanti cuscini che stava quasi seduto. Respirava regolarmente, con una specie di schiocco della gola. Dormiva. Solo, come si è soltanto nei sogni, dove ciò che fai non cambia il mondo.

– Non mi sembra che stia morendo – disse il bambino.

– Non senti che respiro lento?

Ascoltarono. Il respiro del vecchio andava a tempo col rumore del mare. Poi improvvisamente si impennò e il vecchio tossì forte molte volte. Aprì gli occhi e vide nella penombra la maglietta bianca del bambino e il vestito azzurro della bambina.

– Generale Arturo – disse il vecchio con un filo di voce – sei venuto a salutare l'ammiraglio?

– Signorsì – disse il bambino. Si avvicinò al letto e mise una mano sulla coperta. Il vecchio faceva odore di panni bagnati. Sudava e aveva una crosticina all'angolo della bocca.

– Per quest'anno le esercitazioni sono sospese. Ma mi raccomando... tieni il battello in buone condizioni.

– Signorsì.

Maria girò dall'altra parte del letto e appoggiò una mano sul braccio del vecchio. La pelle era lucida di sudore e il sole, entrando dalle persiane, la faceva risplendere.

– Nonno, hai un braccio d'oro – disse Maria.

– Sì. Sono tutto d'oro, sudato d'oro zecchino – disse il vecchio.

– Diglielo – disse il bambino.

– Cosa? – chiese il vecchio.

La bambina prese da parte il bambino e lo portò nell'angolo più lontano della camera. Il vecchio li vide sparire nell'ombra.

– Perché devo dirglielo? Fallo e basta...

– Non posso versargli un bicchier d'acqua così addosso senza dirgli niente... magari muore dallo spavento.

– Non so come dirglielo.

– Diglielo.

La bambina tornò vicino al vecchio. Si sedette in fondo al letto, le gambe toccavano appena terra.

– Dov'è finito il generale Arturo? – chiese il vecchio.

– È andato... a prenderti un bicchier d'acqua.

– È gentile... ma non l'avevo chiesto.

– Sai com'è testone il generale.

Il bambino riapparve. Reggeva in mano un boccale da birra pieno di acqua frizzante.

– Sei matto, generale – disse la bambina – quella è l'acqua che dovevamo bere in viaggio.

– Dal rubinetto non ne viene.

– L'acqua è già chiusa – disse il vecchio – ma perché quel bicchiere enorme?

– Diglielo – disse il bambino.

– Non sono capace – disse la bambina – diglielo tu.

– Oh insomma – disse il vecchio fingendo di essere spazientito – si può sapere cosa state tramando alle mie spalle?

La bambina incrociò le braccia e restò in equilibrio sul tallone di un piede e la punta dell'altro.

– Arturo... voleva mostrarti i suoi poteri magici... Ecco lui vorrebbe... aiutarti...

– Io vorrei provare a non farla morire, ammiraglio – disse il bambino – naturalmente se lei è d'accordo.

Il vecchio restò un attimo in silenzio. Cercò di vedere l'espressione dei due bambini nella penombra.

– E ... come farai?

– Oh, è semplice – disse il bambino, avvicinandosi piano piano – l'anno scorso io ho tirato... cioè senza farlo apposta ho versato un bicchier d'acqua addosso a mio nonno.

– Ed è guarito – disse la bambina – cioè non è sicuro che sia stato Arturo con i suoi poteri, però è stato così.

Il vecchio si morse le labbra. Una mosca volava sulle lenzuola. Chiuse gli occhi e non era poi tanto sicuro che ci fossero davvero i due bambini nella stanza. Faceva fatica a respirare. Riaprì gli occhi.

– E l'hai guarito con un bicchiere così?

– No, era meno pieno, ma per stare sul sicuro... – disse il bambino.

– Arturo non fare lo scemo – disse la bambina – devi fare esattamente come con tuo nonno... gli hai versato addosso un boccale da birra così?

– Era così.

– Bene, bene – disse il vecchio – e... come eri vestito? Che formule magiche hai pronunciato?

– Avevo una camicia gialla – disse il bambino.

– Vedi che c'era qualcosa che mancava? – disse la bambina. Guardò le valigie e poi ne aprì una e tirò fuori una camicetta gialla.

– Ma è da donna – protestò il bambino.

– Per il rito è il colore che conta – disse il vecchio tossendo – e poi cosa hai fatto? Che parole hai detto?

– Ricordati tutto per bene, generale Arturo – disse la bambina – non fare il tonto come al solito.

– Reggimi il bicchiere – disse il bambino. La camicia gli

arrivava fino alle ginocchia. Con gli indici si strinse le tempie.

– Allora, sono salito sul letto col bicchiere... poi ho detto bevila tutta...

– Sicuro?

– Sicuro.

– Da che parte sei salito? – disse la bambina – è importante.

– Da questa – indicò il bambino – perché dall'altra c'era il muro.

– Non possiamo spostare il letto contro il muro – si lamentò la bambina.

– Io credo che l'importante – disse il vecchio – siano i gesti, la formula "bevila tutta" e soprattutto l'acqua minerale.

– Era minerale? Minerale frizzante? – chiese la bambina, puntando il dito sul petto di Arturo.

– Sicuro.

– Allora vai.

Il bambino prese il boccale con grande attenzione. Girò intorno al letto tenendo una mano sul controschienale. Poi cautamente ci salì sopra. Il vecchio tossì e il bambino riuscì a fare in modo che il sobbalzo non facesse cadere neanche una goccia. Incontrò lo sguardo di approvazione della bambina. Poi alzò il bicchiere vicino al viso del vecchio e disse:

– Bevila tutta.

Il vecchio fece un cenno di ringraziamento col capo. Il bambino versò poco alla volta il bicchier d'acqua sul petto del vecchio e si mise a ridere. Stava finendo di bagnarlo quando entrarono i genitori della bambina. Spalancarono la finestra e la luce illuminò la scena.

– Siete impazziti? Cosa state facendo? – disse il padre.

Il vecchio cercò di dire qualcosa, ma la tosse glielo impedì.

Il generale Arturo, serissimo, posò il bicchiere sul comodino proprio come ricordava di averlo messo allora, vicino al bordo.

La bambina corse dalla madre e la tirò per la manica.

– Forse il nonno non muore – disse sottovoce.

FINALE: IL RACCONTO DELL'OSPITE

A questo punto nel bar sotto il mare tutti si voltarono a guardarmi.

– Siamo stati lieti di averla tra noi – disse il vecchio con la gardenia – e ci auguriamo che lei non vorrà venire meno alla nostra consuetudine: chiunque entra nel bar sotto il mare deve raccontare una storia.

– Io non conosco molte storie – mi schermii.

– Credo che le convenga raccontarla – disse la vecchietta – se vuole uscire...

– Cosa intende dire?

– Vede, signore – disse il barista – c'è un solo modo di uscire di qui, e non è usando la porta da cui si è entrati.

– Allora c'è un'altra porta?

– No – disse il cuoco ridendo.

– Ma se non si può uscire dalla porta da cui sono entrato e non c'è un'altra porta, non potrò più uscire...

– Ci sono tanti altri modi – disse il cane nero.

– Ad esempio – disse Priscilla – si può non essere mai entrati...

– E se la porta non è qui – disse la bionda col vestito rosso – forse è da un'altra parte, basterà che lei esca e troverà la porta per uscire.

– Oppure la cosa più semplice – disse il marinaio – è che lei è già uscito.

Li guardai uno per uno. Sembrava che si aspettassero qualcosa da me.

– Ho capito – dissi all'improvviso. E iniziai a raccontare:

"Camminavo una notte in riva al mare di Brigantes, dove le case sembrano navi affondate, immerse nella nebbia..."

INDICE

Stampa Grafica Sipiel
Milano, luglio 1996